Lancelot
ou le Chevalier de la charrette

ÉTONNANTS • CLASSIQUES

CHRÉTIEN DE TROYES

Lancelot

ou le Chevalier de la charrette

Traduction de JEAN-CLAUDE AUBAILLY

Présentation, notes, choix des extraits et dossier par
HERVÉ-FRANÇOIS FOURNIER,
professeur de lettres

Cahier photos par
MARIE-ANNE DE BÉRU

Flammarion

Le Moyen Âge
dans la collection « Étonnants Classiques »

Aucassin et Nicolette
La Chanson de Roland
CHRÉTIEN DE TROYES, *Lancelot ou le Chevalier de la charrette*
Perceval ou le Conte du graal
Yvain ou le Chevalier au lion
Fabliaux du Moyen Âge (anthologie)
La Farce de Maître Pathelin
La Farce du Cuvier et autres farces du Moyen Âge
ROBERT DE BORON, *Merlin*
Le Roman de Renart
Tristan et Iseut

Édition revue, 2014.
ISBN : 978-2-0813-4937-7
ISSN : 1269-8822

SOMMAIRE

Lancelot
ou le Chevalier de la charrette

■ Dossier 121

PRÉSENTATION

Chrétien de Troyes : vie et œuvre

Chrétien de Troyes naît vers 1135 en Champagne et meurt vers 1185. De l'homme on sait peu de chose, hormis qu'il fut clerc [1]. On le connaît surtout comme écrivain : trouvère (poète), il sut s'imposer à une époque où la littérature en langue vulgaire (c'est-à-dire en langue romane, plus précisément en français – un français très différent de celui que nous parlons aujourd'hui) semblait être vouée à l'anonymat, à la différence de celle qui était en latin, langue « savante ».

Il reçut la protection de Marie de Champagne, fille du roi de France Louis VII et d'Aliénor d'Aquitaine, ainsi que celle du comte de Flandre, Philippe d'Alsace. Il se consacra dans sa jeunesse à la littérature amoureuse et écrivit des chansons d'amour, puis il s'inspira des œuvres antiques et donna plusieurs adaptations des textes d'Ovide (*Les Métamorphoses* ; *L'Art d'aimer*), et enfin il s'intéressa au roman (ce terme, à la fin du XIIe siècle, désigne de longs poèmes en octosyllabes – vers de huit syllabes – écrits en langue romane). Il est ainsi l'auteur de cinq romans : *Érec et Énide*, *Cligès*, *Lancelot ou le Chevalier de la charrette*, *Yvain ou le Chevalier*

---

1. *Clerc* : homme d'Église ayant reçu la tonsure (c'est-à-dire à qui l'on a coupé une mèche de cheveux au sommet de la tête lors d'une cérémonie religieuse pour signifier précisément l'appartenance au clergé). Au Moyen Âge, les clercs sont quasiment les seuls à savoir lire et écrire.

au lion et *Perceval ou le Conte du graal*. Tous empruntent à la « matière de Bretagne » : par cette expression, on entend l'ensemble des récits et des légendes celtiques autour du roi Arthur. Cette matière lui fournit le cadre de ses romans – l'Angleterre (appelée alors « Bretagne ») ; le pays de Galles, où s'étaient réfugiés des Bretons lors de l'invasion saxonne du VIe siècle ; notre Armorique, où s'étaient également exilés des Bretons insulaires pour fuir l'envahisseur ; et l'Irlande – et les héros dont il relate les aventures. Chrétien de Troyes a sans doute séjourné en Angleterre, à la brillante cour du roi Henri II, et c'est là qu'il a pu se familiariser avec cette « matière ». Il a pu en outre lire deux ouvrages qui regroupaient et enrichissaient ces récits et ces légendes : l'*Historia regum Britanniae* (l'*Histoire des rois de Bretagne*), que Geoffroy de Monmouth écrivit en latin en 1130 et qui présentait Arthur comme un grand roi breton, vainqueur des Saxons, et le *Roman de Brut*, composé vers 1155 par l'écrivain anglo-normand Wace, dans lequel Arthur faisait figure de chef celtique de la résistance bretonne contre l'invasion saxonne, de grand conquérant qui avait su instaurer une ère de paix et qui s'était assuré le soutien de chevaliers réunis autour d'une Table Ronde [1].

La littérature courtoise

Le roman de Chrétien de Troyes *Lancelot ou le Chevalier de la charrette* appartient à ce qu'on appelle la « littérature courtoise ».

La société féodale et les premières croisades avaient donné lieu, à partir du XIe siècle, à une littérature mettant en scène des

1. *Table Ronde* : voir l'encadré, p. 26-27.

héros de chevalerie, réels ou fictifs, auteurs de nombre d'exploits guerriers réalisés en l'honneur de leur seigneur : les « chansons de geste » – « chansons » car ces récits étaient déclamés sur les places et les routes par des jongleurs[1] accompagnés d'un instrument de musique, la vielle[2], et « de geste » car ils relataient les hauts faits des chevaliers, comme l'indique le terme « geste » issu du latin *gesta* (« actions », « exploits »).

Dans la seconde moitié du XIIe siècle, un nouveau type de littérature voit le jour, plus approprié à un public aristocratique qui se reconnaît dans l'évocation d'un mode de vie raffiné et luxueux, conforme à celui mené à la cour : la littérature dite « courtoise ». Celle-ci accorde notamment une place importante aux sentiments amoureux. Les chevaliers, s'ils y sont aussi vaillants que dans les chansons de geste, y agissent guidés moins par un souci de loyauté extrême à l'égard de leur suzerain que par une soumission absolue à la dame (du latin *domina*, « maîtresse », au sens de « personne qui exerce une domination »). L'amant courtois s'y montre digne de celle qu'il aime en la servant en toutes circonstances, au péril de sa vie.

Ainsi, après avoir bravé la honte en montant dans une charrette infamante, Lancelot supporte sans dire un mot les sarcasmes de l'opinion publique, puis il se lance dans une série de péripéties toutes plus dangereuses les unes que les autres. Porté par son amour pour la reine Guenièvre, Lancelot est prêt à tout subir et à prendre tous les risques pour la sauver des mains de son ravisseur, le chevalier Méléagant, et pour lui témoigner son attachement.

1. *Jongleurs* : au Moyen Âge, artistes itinérants qui récitaient ou chantaient des vers en s'accompagnant d'un instrument.
2. *Vielle* : sorte de violon à trois cordes.

L'originalité de *Lancelot*

Dans notre roman, Lancelot suit un parcours que l'on peut qualifier d'« initiatique » : celui-ci est fait d'épreuves qui vont révéler les qualités, la valeur du héros et sa détermination à poursuivre sa quête. Comme pour Perceval dans *Perceval ou le Conte du graal*, l'aventure de Lancelot est, en effet, orientée autour d'une quête. Mais, si le motif de cette dernière est de nature religieuse pour Perceval (la recherche du saint graal), il est plus difficile à déterminer pour Lancelot : très vite, il devient double et, dès lors, le parcours du chevalier prend la forme d'une initiation à la fois héroïque et amoureuse – ce qui est éprouvé, c'est son courage mais aussi son amour.

Au début du roman, l'épouse du roi Arthur, Guenièvre, est enlevée par un chevalier étranger, Méléagant, venu du royaume de Gorre. Gauvain et Lancelot décident alors de la ramener saine et sauve à la cour. Lancelot partant à la recherche de la reine semble ainsi « obéir » à son roi et agir en vassal[1] dévoué à son seigneur, en sauveur, ce qui est le propre de tout chevalier. De plus, s'il parvient à délivrer la reine, Lancelot sera également le libérateur de tous les captifs du royaume de Gorre, car « la coutume était telle dans le pays que dès qu'un captif en partait, tous les autres pouvaient le quitter » (p. 77).

Mais l'amour agit sur Lancelot et sa quête prend aussitôt une autre dimension : ce n'est plus le devoir qui dicte la conduite du héros mais son amour pour la reine Guenièvre, au risque de la déshonorer et de la faire soupçonner d'adultère.

---

1. *Vassal* : homme lié à un seigneur qui le mettait en possession d'un fief (domaine, terre).

Ainsi, tout le roman est une suite d'épreuves qui associent l'amour et les exploits du chevalier. C'est un fait « nouveau » dans la littérature médiévale qui, jusqu'alors, avait plutôt tendance à privilégier les récits de combats et à mettre en valeur la bravoure du chevalier et son engagement total pour son roi.

Le désir de Lancelot de se faire aimer de la reine semble l'emporter sur la volonté de servir son suzerain, et la quête majeure du roman semble être celle de la reconnaissance amoureuse. On peut parler en ce sens de quête « gratuite » car le héros cherche à satisfaire une préoccupation très personnelle sans s'inquiéter d'aller à l'encontre de la fidélité qu'il doit au roi Arthur.

Notre héros trahit-il son seigneur alors qu'il part à la recherche de Guenièvre ? Le sert-il en mettant tout en œuvre pour la sauver ? Est-il une simple victime de sa passion pour la reine ? Le roman de Chrétien de Troyes suscite bien des questions et laisse le lecteur libre de ses interprétations...

CHRONOLOGIE

1135 1185
1135 1185

- Repères historiques et culturels
- Repères littéraires

Repères historiques et culturels

1095-1099	Première croisade – expédition militaire menée par l'Église pour la délivrance de la Terre sainte – et prise de Jérusalem.
1100	Louis VI le Gros, roi de France.
1100-1135	En Angleterre, règne d'Henri Ier, dit Beauclerc. En France, règne de Louis VII, époux d'Aliénor, duchesse d'Aquitaine, petite-fille du prince troubadour Guillaume IX d'Aquitaine.
1147	Naissance de Marie, fille d'Aliénor et de Louis VII.
1147-1149	Deuxième croisade, qui échoue.
1150	Louis VII répudie Aliénor d'Aquitaine.
1152	Aliénor épouse Henri Plantagenêt, comte d'Anjou et duc de Normandie, petit-fils d'Henri Ier. Henri Plantagenêt est ainsi maître de Poitou, de la Guyenne et de la Gascogne (anciennes régions du sud-ouest de la France), devenant plus puissant que Louis VII dont il est un vassal.
1154-1189	Henri Plantagenêt devenu Henri II règne en Angleterre. Début des querelles franco-anglaises.
1163	Début de la construction de Notre-Dame de Paris.

Repères littéraires

1100	*La Chanson de Roland.*
1130	*Historia regum Britanniae* (*Histoire des rois de Bretagne*), ouvrage en latin de Geoffroy de Monmouth.
Vers 1135	Naissance de Chrétien de Troyes.
1155	Wace offre son *Roman de Brut* (libre adaptation française de l'*Histoire des rois de Bretagne*) à la reine Aliénor. L'ouvrage fait une large place à Arthur.
1167	*Lais* de Marie de France.

Repères historiques et culturels

1164	Marie, fille de Louis VII et d'Aliénor d'Aquitaine, épouse Henri le Libéral, comte de Champagne et de Brie. Elle protège les poètes et les romanciers, notamment Chrétien de Troyes.
1173-1174	Révolte des fils d'Henri II, Richard Cœur de Lion et Jean sans Terre, contre leur père.
1174	Traité de Gisors conclu entre la France et l'Angleterre.
1180-1223	En France, règne de Philippe Auguste. Il engage la lutte avec les Plantagenêt dont l'empire franco-anglais menace la monarchie française.
1187	Naissance d'Arthur Ier, fils posthume de Geoffroi II d'Anjou, lui-même fils d'Henri II.
1189-1199	En Angleterre, règne de Richard Cœur de Lion. En 1189, troisième croisade.
1194	Début de la construction de la cathédrale de Chartres.
1199-1216	En Angleterre, règne de Jean sans Terre, frère cadet de Richard Cœur de Lion. Il usurpe ainsi le trône à son neveu, Arthur Ier, qu'il emprisonne à Rouen et fait assassiner en 1203.
1204	Quatrième croisade et prise de Constantinople.
1223	Mort de Philippe Auguste.

Repères littéraires

1174-1179	Début de la rédaction du *Roman de Renart.*
Vers 1176	*Érec et Énide* de Chrétien de Troyes.
1176-1181	*Yvain ou le Chevalier au lion* et *Lancelot ou le Chevalier de la charrette* de Chrétien de Troyes.
1180	*Tristan* de Béroul.
1181-1185	*Perceval ou le Conte du graal* de Chrétien de Troyes.
1185	Mort de Chrétien de Troyes.
1195-1200	Robert de Boron commence sa trilogie (*Joseph, Merlin, Perceval*). *Aucassin et Nicolette* (anonyme).

Lancelot
ou le Chevalier de la charrette

Note de l'éditeur : la présente traduction s'appuie sur le manuscrit Guiot (Paris, Bibliothèque nationale) – du nom de son copiste présumé au début du XIIIe siècle –, corrigé par les spécialistes contemporains (Mario Roques, 1958, et William W. Kibler, 1981).
Les passages supprimés sont signalés par des crochets. Ils sont résumés dans un caractère différent de celui de la traduction.

Préambule

Puisque ma dame de Champagne [1] désire que j'entreprenne un roman, je le ferai de bon cœur en homme qui lui est entièrement dévoué en tout ce qu'il peut faire en ce monde et cela sans recourir à la moindre flatterie. Pourtant, tel autre, qui voudrait la flatter, 5 commencerait peut-être par là en disant – et je ne pourrais que l'approuver – qu'elle est la dame qui surpasse en qualités toutes celles vivant aujourd'hui, de la même manière que la brise qui souffle en avril ou en mai surpasse par sa douceur et son charme tous les autres vents. Par ma foi, je ne suis pas un flatteur qui veut 10 couvrir sa dame de louanges. Dirai-je : « Comme le pur diamant éclipse les perles et les sardoines [2], la comtesse éclipse les reines » ? Non, certes, je ne le dirai pas et bien malgré moi car c'est pourtant la pure vérité. Je me bornerai simplement à affirmer que dans cette entreprise son commandement a plus d'effet que la réflexion ou les 15 efforts que j'y apporte. Chrétien va donc commencer son récit sur le Chevalier de la charrette ; la comtesse lui en donne la matière et l'esprit et lui se charge de la mise en œuvre sans y apporter rien de plus que son travail et son application. Et, sur-le-champ, il commence sa narration.

---

1. ***Ma dame de Champagne*** : il s'agit de la comtesse Marie de Champagne, la protectrice de Chrétien de Troyes, fille d'Aliénor d'Aquitaine et de Louis VII.

2. ***Sardoines*** : pierres fines de couleur brunâtre.

1. Méléagant enlève Guenièvre

Lors d'une Ascension[1] le roi Arthur était venu à Carlion et avait tenu en son château de Camaalot[2] une brillante cour plénière[3] aussi somptueuse qu'il convenait à un roi. Après le festin le roi était resté parmi ses compagnons. Il y avait dans la salle une grande assemblée de barons[4] à laquelle s'étaient jointes la reine et, me semble-t-il, maintes belles et courtoises[5] dames parlant le français avec élégance. Quant à Keu, qui avait dirigé le service de table, il mangeait avec les officiers de bouche[6]. Alors que Keu était encore assis à table, voici qu'arriva à la cour un chevalier superbement équipé et armé de pied en cap[7]. Ledit chevalier s'avança en cet équipage[8] jusque devant le roi assis au milieu de ses barons. Sans le saluer, il lui adressa la parole en ces termes :

« Roi Arthur, je détiens dans mes prisons plus d'un chevalier, d'une dame et d'une pucelle[9] de ton royaume et de ta maison ;

---

1. ***Ascension*** : dans la religion catholique, fête qui célèbre l'élévation miraculeuse de Jésus-Christ dans le ciel, quarante jours après sa résurrection.
2. ***Camaalot*** : résidence mythique du roi Arthur. Les aventures de Lancelot se déroulent dans deux royaumes : celui du roi Arthur, le royaume de Logres, et celui du roi Baudemagus, le royaume de Gorre, situé de manière imprécise aux bornes du royaume de Logres.
3. ***Cour plénière*** : cour où siègent tous les membres qui la composent.
4. ***Barons*** : grands seigneurs du royaume.
5. ***Courtoises*** : aimables.
6. ***Officiers de bouche*** : on désignait ainsi ceux qui étaient chargés du service de table.
7. ***De pied en cap*** : des pieds à la tête (du latin *pes, pedis*, « pied », et *caput*, « tête »).
8. ***Équipage*** : ensemble des objets nécessaires à un chevalier pour combattre.
9. ***Pucelle*** : demoiselle.

mais je ne te parle pas d'eux dans l'idée de te les rendre : au contraire je tiens à te faire savoir que tu n'as ni la puissance ni la richesse qui te permettraient de les libérer. Et sache bien qu'il en sera ainsi jusqu'à ta mort car jamais tu ne pourras les secourir. »

20 Le roi répondit qu'il lui fallait bien supporter ce malheur s'il ne pouvait y porter remède mais que cela le tourmentait vivement. Alors le chevalier fit mine de vouloir partir ; il fit demi-tour et, sans s'attarder davantage auprès du roi, il regagna la porte de la salle mais il n'en redescendit pas le perron ; il s'arrêta et, de là, lança 25 au roi :

« Roi, s'il y a en ta cour un chevalier, ne serait-ce qu'un seul, en qui tu aies totale confiance au point d'oser lui confier la reine pour la conduire après moi dans ce bois où je me rends, je l'y attendrai et te fais le serment solennel[1] de te rendre tous les 30 captifs emprisonnés sur mes terres s'il peut la conquérir sur moi de haute lutte et parvenir à la ramener. »

Nombreux furent ceux du palais qui entendirent ces propos qui déchaînèrent un grand tumulte[2] parmi la cour. La nouvelle en parvint aux oreilles de Keu qui déjeunait avec les officiers de 35 bouche ; il interrompit son repas, se précipita vers le roi et lui dit, comme en proie à[3] une violente colère :

« Roi, de grand cœur je t'ai loyalement et fidèlement servi mais aujourd'hui je prends congé[4] car je vais partir et jamais plus je ne te servirai. Je n'ai plus désormais la moindre envie de te servir. »

40 Le roi fut très affecté d'entendre ces propos mais quand il se fut suffisamment ressaisi pour pouvoir répondre, il lui demanda brutalement :

« Parlez-vous sérieusement ou est-ce une plaisanterie ? »

Et Keu lui répondit :

---

1. ***Solennel*** : officiel, public.
2. ***Tumulte*** : agitation, désordre bruyant.
3. ***En proie à*** : tourmenté par.
4. ***Je prends congé*** : je me retire, je quitte mon service.

45 « Beau sire roi, je ne suis pas d'humeur à plaisanter : c'est très sérieusement que je prends congé de vous. Je ne vous demande pas d'autre récompense ni d'autre salaire[1] pour mon service. Je suis pris du brusque désir de partir sur l'heure.

– Est-ce par colère ou par dépit[2] que vous voulez partir ? 50 demanda le roi. Sénéchal, restez à la cour ainsi que vous le faites habituellement et sachez bien que je ne possède rien en ce monde que je ne vous donnerais sur-le-champ pour vous garder.

– Sire, fit Keu, il n'en est nul besoin. Pour chaque jour passé à la cour je ne prendrais pas même un setier[3] d'or pur. »

55 Le roi, désespéré, s'est alors approché de la reine.

« Dame, lui dit-il, vous ne savez pas ce que me demande le sénéchal ? Il me demande son congé et déclare qu'il ne veut plus rester à ma cour. Et je ne sais pas pourquoi. Mais si vous l'en priez, il vous accordera ce qu'il me refuse. Allez le trouver, ma tendre 60 amie ; puisque pour moi il ne daigne rester, priez-le qu'il le fasse pour vous et, s'il le faut, jetez-vous à ses pieds car si je perdais sa compagnie, j'en perdrais toute joie à jamais. »

Le roi chargea ainsi la reine d'aller trouver le sénéchal et elle s'empressa de le faire. Quand elle le rejoignit, il était fort entouré.

65 « Keu, lui dit-elle, sachez sans l'ombre d'un doute que je suis fort affligée[4] par ce que j'ai entendu dire de vous. On m'a rapporté, à mon grand déplaisir, que vous voulez quitter le roi. D'où vous vient cette intention ? Et quel sentiment profond la justifie ? Après cela il m'est difficile de vous considérer, ainsi que 70 j'avais coutume de le faire, comme un homme sage et courtois ! Je veux vous prier de rester : Keu, restez à la cour, je vous en prie.

– Dame, répondit-il, pardonnez-moi mais je ne resterai pas. »

1. ***Salaire*** : rétribution, récompense.
2. ***Dépit*** : chagrin dû à une déception.
3. ***Setier*** : ancienne mesure de capacité qui variait selon le pays et la matière mesurée.
4. ***Affligée*** : attristée, peinée, chagrinée.

La reine renouvela sa prière et tous les chevaliers en chœur joignirent leur voix à la sienne. Mais Keu lui déclara qu'elle se
75 fatiguait pour bien peu de chose. Alors la reine, de toute sa hauteur, se laissa tomber à ses pieds. Keu la supplia de se relever mais elle refusa en déclarant qu'elle ne le ferait pas jusqu'à ce qu'il accède à ses désirs. Alors Keu lui promit de rester à la condition expresse que le roi lui accorde par avance ce qu'il allait lui deman-
80 der et qu'elle-même ne s'y oppose pas.

« Keu, fit-elle, quoi que ce soit, lui et moi nous vous l'accorderons. Maintenant venez et allons lui dire que vous acceptez de rester à cette condition. »

Keu suivit la reine et tous les deux vinrent trouver le roi.

85 « Sire, fit la reine, j'ai réussi non sans peine à retenir Keu : je vous le ramène mais je me suis engagée à ce que vous acceptiez de lui accorder ce qu'il demandera. »

Le roi en soupira d'aise et déclara qu'il accéderait à sa demande[1] quelle qu'elle soit.

90 « Sire, fit Keu, sachez donc ce que je veux et quel est le don que vous m'avez accordé. Quand je l'aurai, je serai un homme comblé grâce à vous. Vous venez de remettre entre mes mains la sauvegarde[2] de la reine ici présente et nous allons rejoindre le chevalier qui nous attend dans la forêt. »

95 Le roi en fut fort attristé et pourtant il confirma officiellement à Keu la mission réclamée car jamais il n'était revenu sur sa parole. Mais il en fut agacé et chagriné et cela se vit sur son visage. La reine aussi en fut fort affectée et tous, dans le palais, déclarèrent que Keu avait agi par orgueil, outrecuidance[3] et totale déraison. Alors le roi
100 prit la reine par la main et lui dit :

« Dame, il n'est pas possible de s'y opposer, il vous faut partir avec Keu. »

---

1. ***Accéderait à sa demande*** : consentirait à sa demande.
2. ***Sauvegarde*** : défense, protection.
3. ***Outrecuidance*** : confiance excessive en soi, estime exagérée de soi.

Et Keu de s'écrier :

« Confiez-la-moi et ne craignez rien, je vous la ramènerai saine
105 et sauve et en parfait état ! »

Le roi la lui confia donc et Keu l'emmena. Derrière eux, tout le monde sortit du palais en proie à une sombre inquiétude. Sachez que le sénéchal eut vite revêtu son armure et on amena son cheval au milieu de la cour accompagné d'un palefroi[1] digne d'une reine.
110 La reine s'approcha du palefroi qui n'était ni trop rétif[2] ni trop fougueux[3] ; triste et abattue, elle se mit en selle en soupirant et dit tout bas pour ne pas être entendue :

« Ah ! ami, si vous l'aviez su, vous n'auriez jamais admis, je pense, que Keu m'entraînât même d'un seul pas ! »

115 Elle pensait ne l'avoir que murmuré mais le comte Guinable, qui se trouvait près d'elle alors qu'elle montait à cheval, l'entendit. Au moment de leur départ, tous ceux et celles qui étaient là laissèrent éclater leur douleur comme si la reine reposait morte dans son cercueil. Ils ne pensaient pas que de sa vie elle revienne
120 jamais. Le présomptueux[4] sénéchal l'emmenait par orgueil là où l'attendait le chevalier. Pourtant personne n'en fut affligé au point de s'élancer sur leurs traces jusqu'à ce que messire Gauvain dise au roi son oncle sur le ton de la confidence :

« Sire, vous avez agi en enfant et je m'en étonne beaucoup,
125 mais si vous voulez accorder quelque crédit[5] à mes conseils, tant qu'ils ne se sont pas encore trop éloignés, vous et moi devrions les suivre avec tous ceux qui voudront nous accompagner. Je ne saurais me retenir de me lancer à leur poursuite. Et il ne serait pas convenable que nous ne les suivions pas au moins jusqu'à ce que

1. ***Palefroi*** : cheval de marche, de parade, de cérémonie, par opposition au destrier (voir note 3, p. 28).
2. ***Rétif*** : qui s'arrête, qui refuse d'avancer.
3. ***Fougueux*** : vif, impétueux.
4. ***Présomptueux*** : arrogant, audacieux, prétentieux.
5. ***Accorder quelque crédit à*** : croire à.

130 nous sachions ce que la reine va devenir et comment Keu va se comporter.

– Allons-y, gentil neveu, répondit le roi. Vous venez de parler en homme de cœur et en courtois chevalier. Et puisque vous avez pris l'affaire en main, donnez l'ordre de faire sortir les chevaux et 135 de leur mettre les selles et les rênes de sorte qu'il n'y ait plus qu'à les enfourcher. »

Les chevaux sont rapidement amenés, harnachés [1] et sellés ; le roi saute en selle le premier, suivi par Gauvain et tous les autres à qui mieux mieux [2] car chacun veut prendre part à l'expédition. 140 Chacun part dans l'état qui lui convient : certains sont armés mais beaucoup ne le sont pas. Messire Gauvain, lui, était armé de pied en cap et il fit mener à main droite par deux écuyers [3] deux chevaux de bataille. Alors qu'ils approchaient de la forêt, ils en virent sortir le cheval de Keu, facilement reconnaissable, 145 dont les rênes, reliées au mors [4], étaient rompues toutes les deux. Le cheval n'avait plus de cavalier ; son étrivière [5] était maculée [6] de sang et l'arçon [7] arrière de la selle était brisé et éclaté. Il n'y a pas un seul homme de la troupe qui n'en soit contrarié ; tous se poussent du coude et échangent des clins d'œil.

---

1. ***Harnachés*** : munis d'un harnais (équipement d'un cheval de selle).
2. ***À qui mieux mieux*** : rivalisant de zèle (littéralement « à qui fera mieux que l'autre »).
3. ***Écuyers*** : gentilshommes qui accompagnaient les chevaliers et portaient leur écu (voir note 1, p. 29).
4. ***Mors*** : pièce du harnais qui passe dans la bouche du cheval et sert à le diriger.
5. ***Étrivière*** : courroie par laquelle l'étrier est suspendu à la selle.
6. ***Maculée*** : tachée.
7. ***Arçon*** : l'une des deux arcades reliées entre elles et constituant l'armature d'une selle.

Arthur et la Table Ronde

Arthur qui, au VIe siècle, était le chef militaire des Bretons, lutta contre l'envahisseur saxon. Nombre de récits firent de lui un personnage légendaire dont on peut résumer ainsi les principaux faits.

Arthur enfant fut élevé loin de ses parents – Uter Pendragon, roi de Bretagne, et Ygerne, épouse du duc Gorlois de Cornouailles – par Merlin l'enchanteur. Ce dernier réclama l'enfant comme gage de ses « forfaits » : en effet, pour favoriser l'union d'Uter Pendragon avec Ygerne, épouse fidèle du duc, il jeta un sort au premier qui prit l'apparence du second. Merlin, responsable de cette union illégitime, fut aussi à l'origine de la magnifique forteresse conçue pour Uter Pendragon et abritant une Table Ronde qui pouvait réunir cent cinquante chevaliers.

Arthur devint roi à la suite d'un épisode merveilleux : à la mort de son père, les chevaliers de la Table Ronde, qui étaient dans l'incapacité de désigner un successeur à leur seigneur, demandèrent conseil à Merlin ; l'enchanteur leur indiqua que celui qui parviendrait à extraire Excalibur (une épée magique) de son socle serait le prochain roi. De nombreux chevaliers tentèrent vainement de relever le défi. C'est Arthur qui y réussit, quelques années plus tard : au cours d'un tournoi, un chevalier qui était chargé de veiller sur Arthur et qui n'avait pas de glaive demanda au jeune homme de lui en trouver un ; Arthur se saisit d'Excalibur et remit l'épée au chevalier ébahi. C'est ainsi qu'il fut désigné successeur d'Uter Pendragon.

Arthur régna dès lors sur le royaume de Logres. Il vainquit les Anglo-Saxons, aida le roi d'Écosse dans la guerre qui l'opposait aux Irlandais. Pour le récompenser de son soutien, ce dernier lui donna sa fille Guenièvre en mariage. Merlin s'opposa d'abord à leur union, car il connaissait l'amour que Guenièvre portait à Lancelot, le plus beau des chevaliers de la Table Ronde. Il finit cependant par accepter le mariage et ce fut à cette occasion qu'il offrit la Table Ronde à Arthur.

Autour de cette Table, le roi Arthur rassembla ses chevaliers d'exception, parmi lesquels Lancelot, Perceval, Gauvain ou encore Yvain. Ils devaient se montrer dignes de siéger à cet endroit en servant le roi et en préservant son honneur. Ils entreprirent pour cela nombre d'aventures et de quêtes jalonnées d'épreuves mettant en valeur leur vaillance hors du commun. Au nombre de ces quêtes, la plus importante est celle du saint graal auquel la Table Ronde réservait une place spéciale. Le graal, coupe très précieuse qui servit au Christ lors de la Cène [1] et qui recueillit le sang qui coula de sa blessure au flanc lors de la crucifixion, avait été ramené de Palestine en Angleterre par Joseph d'Arimathie, un des disciples du Christ, mais disparut en raison des péchés des habitants du pays. Dans les romans du Moyen Âge, sa quête, qui semble ne jamais pouvoir aboutir, prend des allures de quête de l'impossible. Inachèvement, énigme, disparition, le thème du graal fait aujourd'hui encore fortune : il met en évidence les faiblesses de la nature humaine face à un idéal d'absolu. ■

1. *Cène* : dernier repas de Jésus-Christ avec ses disciples.

2. Le chevalier et la charrette

Messire Gauvain chevauchait bien en avant de la troupe ; il ne tarda guère à voir venir un chevalier qui avançait au pas sur un cheval harassé[1], couvert d'écume[2] et tout en sueur. Le chevalier salua messire Gauvain le premier et celui-ci lui rendit son salut. Et le chevalier, qui avait reconnu Gauvain, s'arrêta et lui dit :

« Sire, je pense que vous voyez comme mon cheval est trempé de sueur et épuisé au point de ne m'être plus d'aucun secours. Je crois que ces deux destriers[3] vous appartiennent. Aussi je vous prierai, en m'engageant à vous rendre un jour un service identique, de m'en prêter ou de m'en donner un, n'importe lequel.

– Choisissez celui des deux qui vous convient », répondit Gauvain.

Mais celui-ci, poussé par l'urgence du besoin, ne perdit pas de temps à chercher le meilleur, le plus beau ou le plus puissant : il bondit sur celui qui se trouvait le plus près de lui et le lança au grand galop. Celui qu'il venait d'abandonner tomba raide mort car il l'avait, ce jour-là, beaucoup trop surmené et forcé. Et le chevalier, sans ralentir son allure, s'éloigna en éperonnant[4] à travers la forêt. Messire Gauvain, rageusement, se lança à sa poursuite et dévala la colline à bride abattue[5]...

1. ***Harassé*** : épuisé.
2. ***Écume*** : sueur blanchâtre qui s'amasse sur le corps d'un cheval.
3. ***Destriers*** : chevaux de bataille.
4. ***Éperonnant*** : piquant son cheval de ses éperons (voir note 5, p. 30) pour le faire accélérer.
5. ***À bride abattue*** : en abandonnant toute bride au cheval, par conséquent sans retenue, à toute allure.

Assez longtemps après, il retrouva, étendu mort, le destrier qu'il avait donné au chevalier. Tout autour la terre avait été labourée par les sabots de plusieurs chevaux et il vit partout des débris de lances et d'écus[1], signe qu'à cet endroit s'étaient violemment affrontés plusieurs chevaliers. Cela l'irrita : il était très affecté de n'avoir pu participer à la bataille. Mais il ne s'arrêta pas longtemps et reprit le grand galop tant et si bien qu'au hasard de sa route il finit par apercevoir de nouveau le chevalier qui cheminait seul, à pied, tout armé, le heaume[2] lacé, l'écu au cou et l'épée ceinte[3] au côté. Il venait d'atteindre une charrette.

À cette époque-là, la charrette était utilisée comme le sont de nos jours les piloris[4]. Dans chaque bonne ville où l'on en compte maintenant de grandes quantités, il n'y en avait alors qu'une seule et celle-ci, comme les piloris, était commune aux traîtres, aux meurtriers, aux vaincus des duels judiciaires[5], aux voleurs qui avaient dépouillé autrui en chapardant[6] ou en attaquant sur les grands chemins. Celui qui était pris sur le fait était hissé sur la charrette et promené par toutes les rues de la ville. Il était déshonoré et, dans toutes les cours, on refusait dès lors de lui prêter attention et de lui faire bon accueil. C'est la raison pour laquelle à cette époque, les charrettes avaient une aussi sinistre réputation et c'est de là que vient ce dicton : « Si tu croises une charrette, fais le signe de la croix et pense à Dieu pour qu'il ne t'arrive pas malheur. »

Le chevalier, qui cheminait à pied, sans lance, s'avança vers la charrette et avisant un nain, assis sur les limons[7], qui, comme les

---

1. ***Écus*** : boucliers.
2. ***Heaume*** : grand casque qui enveloppe toute la tête et le visage.
3. ***Ceinte*** : attachée à la taille.
4. ***Piloris*** : poteaux ou piliers à plateforme portant une roue sur laquelle on attachait le condamné à l'exposition publique.
5. ***Duels judiciaires*** : combats admis comme preuves juridiques.
6. ***Chapardant*** : volant.
7. ***Limons*** : pièces de bois entre lesquelles on attelle le cheval.

charretiers, tenait en sa main une longue verge[1], il l'interpella en ces termes :

« Nain, au nom de Dieu, dis-moi si tu as vu ma dame la reine
50 passer par ici. »

Le nain, un être vil[2] et de la plus basse engeance[3] qui soit, ne voulut pas lui en donner des nouvelles mais il lui rétorqua :

« Si tu veux monter dans la charrette que je conduis, d'ici demain tu pourras savoir ce que la reine est devenue. »

55 Et il poursuivit son chemin sans plus attendre. Le chevalier a alors une courte hésitation avant de sauter dans la charrette : à peine le temps qu'elle avance de deux pas. C'est pour son malheur qu'il ne bondit pas sur-le-champ et qu'il en a honte car il le regrettera fort ! Mais Raison qui s'oppose à Amour lui ordonne
60 de se retenir de monter ; elle le sermonne et lui enseigne à ne rien faire dont il pourrait avoir honte ou qu'il pourrait se reprocher. Raison, qui ose lui tenir ce discours, n'a pas son siège dans le cœur mais seulement dans la bouche. Alors qu'Amour, lui, qui l'exhorte[4] à sauter rapidement dans la charrette, réside au fond
65 du cœur. Puisque Amour l'ordonne, le chevalier bondit dans la charrette : que lui importe la honte puisque tel est le commandement d'Amour !

Messire Gauvain pique des éperons[5] et se dirige à son tour vers la charrette ; il est fort surpris d'y voir le chevalier assis.
70 Le moment de surprise passé, il demande au nain :

« Nain, renseigne-moi au sujet de la reine si toutefois tu en sais quelque chose.

---

1. ***Verge*** : baguette qui évoque celle des fées ; elle fait du nain le messager de l'Autre Monde.
2. ***Vil*** : qui inspire le mépris, indigne, infâme.
3. ***La plus basse engeance*** : catégorie de personnes méprisables ou détestables.
4. ***Exhorte à*** : incite à, invite à.
5. ***Éperons*** : pièces de métal avec des pointes acérées, fixées aux talons du cavalier pour faire avancer le cheval.

– Si tu te hais autant que ce chevalier qui est assis ici, répond le nain, monte à côté de lui si tu en as envie et je vous conduirai l'un et l'autre. »

Quand messire Gauvain l'entendit parler ainsi, il jugea ses propos insensés et répondit qu'il n'y monterait pas car il ferait un bien trop mauvais change en troquant son cheval contre une charrette.

« Mais, ajouta-t-il, va où tu veux et je te suivrai là où tu iras. »

Alors ils se mirent en route, l'un à cheval, les deux autres dans la charrette, et ils poursuivirent leur chemin de compagnie.

■ Lancelot transporté dans la charrette d'infamie. Miniature du XIVe siècle.

La charrette

C'est la première épreuve que doit affronter Lancelot. En acceptant le chantage que lui propose le nain, il sacrifie son honneur à l'amour qu'il porte à sa dame. Monter dans la charrette est, en effet, une action infamante, d'une part car cela signifie que le chevalier délaisse sa monture, signe de son statut social, pour une autre qui est « moindre » – il s'agit là, comme l'indique Gauvain, d'un « bien mauvais change » –, et d'autre part car la charrette elle-même est symbole de honte. C'est là qu'étaient transportés, au Moyen Âge, les personnes coupables de forfaits divers et les condamnés à mort destinés à l'exécution publique. Quelques siècles plus tard, sous la Terreur, après la révolution de 1789, elle servait encore à conduire les condamnés à la guillotine. Les coupables étaient ainsi exposés aux yeux de tous, soumis à l'opprobre public.

Le dilemme qui s'est donc posé à Lancelot est le suivant : donner la priorité à son amour ou bien aux valeurs sociales.

Quelle abnégation et quel dévouement envers sa dame il lui aura fallu pour supporter les affronts de tous ! Nombreux seront ceux qui reprocheront à Lancelot d'y être monté... Seule la reine le grondera d'avoir trop longtemps tardé à le faire. ■

3. Le lit interdit

Vers le soir ils arrivèrent à un château qui, je peux vous l'affirmer, en imposait[1] par sa richesse et sa puissance. Tous les trois en franchissent la porte. Les habitants du lieu sont fort surpris en voyant le chevalier que le nain véhiculait dans sa charrette mais ils
5 se gardent bien de lui adresser la parole ; au contraire, tous, petits et grands, vieillards et enfants le suivent parmi les rues en le huant avec violence. Et le chevalier doit supporter de s'entendre couvrir d'injures infamantes et outrageantes[2]. Les questions fusent :

« À quel supplice livrera-t-on ce chevalier ?

10 – Sera-t-il écorché vif ou pendu ? Noyé ou brûlé sur un bûcher d'épines ?

– Dis-nous, nain, toi qui le véhicules dans ta charrette, quel forfait[3] commettait-il quand il a été pris ?

– Est-il convaincu[4] de larcin[5] ?

15 – Est-ce un meurtrier ou a-t-il été vaincu en duel judiciaire[6] ? »

Mais le nain ne daigna pas ouvrir la bouche et il ne répondit à personne. Il conduisit le chevalier au lieu où il devait être hébergé, une tour bâtie de plain-pied près de la ville. Gauvain les suivait de près. En contrebas s'étendait une prairie ; quant à la tour, elle était
20 appuyée sur une roche grise qui tombait en abrupt[7] sur la vallée. À la suite de la charrette, Gauvain pénétra à cheval dans la tour.

1. ***En imposait*** : était impressionnant.
2. ***Outrageantes*** : injurieuses, insultantes.
3. ***Forfait*** : crime, faute.
4. ***Convaincu de*** : coupable de.
5. ***Larcin*** : petit vol commis furtivement et sans violence.
6. ***Duel judiciaire*** : voir note 5, p. 29.
7. ***En abrupt*** : à pic.

En entrant dans la grande salle, ils rencontrèrent une demoiselle fort élégamment vêtue et d'une beauté sans rivale dans la contrée.

25 Deux pucelles [1] aussi nobles que belles l'accompagnaient. Dès qu'elles virent monseigneur Gauvain, elles le saluèrent d'une manière avenante [2] et s'enquirent [3] du chevalier :

« Nain, quel crime a commis ce chevalier que tu mènes comme un coupable ? »

30 Mais le nain ne leur donna aucune explication ; il se borna à faire descendre le chevalier de la charrette et à partir. On ne sut où il se rendit. Messire Gauvain mit pied à terre à son tour et aussitôt deux valets s'approchèrent pour désarmer les deux chevaliers. La demoiselle leur fit apporter deux manteaux fourrés de petit-gris [4]
35 qu'ils revêtirent. Quand vint l'heure de dîner, on servit un plantureux [5] repas. La demoiselle prit place à côté de Gauvain. Pour rien au monde ils n'auraient voulu changer de logis dans l'espoir de trouver mieux car la demoiselle les reçut avec beaucoup d'égards et, tout au long de la soirée, elle leur tint une agréable compagnie.

40 Quand ils furent repus [6], on prépara au milieu de la salle deux lits hauts et longs. Près de ceux-ci s'en trouvait un troisième encore plus luxueux et plus richement paré car, ainsi que le prétend le conte, il offrait tout le confort qu'on puisse imaginer pour un lit. Quand vint le moment d'aller dormir, la demoiselle prit ses deux hôtes par le
45 bras et les conduisit vers les deux grands lits en leur disant :

« C'est pour vous et pour votre bien-être qu'ont été préparés ces deux lits un peu retirés. Mais, dans ce lit qui est devant nous, ne saurait reposer celui qui ne l'a pas mérité. Il ne vous est pas destiné. »

---

1. ***Pucelles*** : voir note 9, p. 20.
2. ***Avenante*** : agréable, aimable.
3. ***S'enquirent du chevalier*** : demandèrent des nouvelles du chevalier.
4. ***Petit-gris*** : fourrure que fournit le petit-gris, écureuil de Russie, au poil très doux et d'un gris bleuté.
5. ***Plantureux*** : abondant, copieux.
6. ***Repus*** : rassasiés.

Le chevalier qui était arrivé sur la charrette lui répondit alors
50 qu'il faisait peu de cas de sa défense :

« Dites-moi, fit-il, la raison pour laquelle ce lit nous est interdit. »

Et celle-ci lui répondit du tac au tac, car elle avait déjà mûri sa réponse :

55 « Ce n'est surtout pas à vous de poser des questions. Tout chevalier qui est monté sur une charrette est déshonoré à jamais et il ne lui est pas permis de se mêler d'adresser de telles requêtes, et encore moins de s'étendre sur ce lit car il pourrait sans tarder chèrement le payer. Je ne l'ai pas fait dresser aussi luxueusement
60 pour que vous vous y couchiez. Même si vous n'en aviez que l'intention, cela pourrait vous coûter cher !

– C'est ce que nous allons voir, fait-il, et avant peu !

– Je le verrai ?

– Sans aucun doute.

65 – Eh bien, nous verrons ce qui se passera !

– Par ma tête, on verra bien qui le paiera ! Peu m'importe celui qui s'en vexera, j'ai la ferme intention de me coucher dans ce lit et d'y dormir à loisir. »

Il quitte ses chausses [1], monte sur le lit qui était plus long et plus
70 haut que les deux autres d'environ une demi-aune [2], et il s'étend sur une courtepointe [3] de soie jaune richement brodée de fils d'or. La fourrure qui la doublait n'avait rien à voir avec du petit-gris un peu pelé : c'était de la zibeline [4]. C'était là une couverture digne du confort d'un roi. Quant au matelas, il n'avait pas été fabriqué avec
75 du chaume, de la paille ou des vieilles nattes [5] !

---

1. ***Chausses*** : parties du vêtement masculin qui couvrent le corps depuis la ceinture jusqu'aux pieds.
2. ***Une demi-aune*** : 59 cm ; l'aune est une ancienne mesure de longueur équivalant à 1,18 m.
3. ***Courtepointe*** : couverture de lit ouatée et piquée ; couvre-pied.
4. ***Zibeline*** : fourrure précieuse du petit mammifère carnivore du même nom.
5. ***Nattes*** : tresses plates faites de brins végétaux.

À minuit, des lattes [1] du toit, jaillit comme la foudre, et fer en avant [2], une lance qui faillit clouer le chevalier par le flanc [3] à la couverture, aux draps blancs et au lit sur lequel il était couché. À la lance était fixée une banderole en feu. Très vite le feu se communiqua à la couverture, aux draps blancs et au lit entier. Et le fer de lance est passé si près du flanc du chevalier qu'il lui a enlevé un peu de peau, sans toutefois le blesser sérieusement. Il se redresse, éteint le feu, saisit la lance et la jette au milieu de la salle. Mais il n'en abandonna pas pour autant son lit : il se recoucha et se rendormit aussi calmement qu'il l'avait fait la première fois.

Le lendemain matin, au lever du jour, la demoiselle de la tour fit tout préparer pour célébrer la messe et envoya ses gens réveiller ses hôtes [4], qui se levèrent. Après avoir entendu la messe, le chevalier qui était arrivé dans la charrette vint s'accouder pensivement à la fenêtre qui donnait sur la prairie et laissa son regard errer sur la vallée. La demoiselle, elle, s'était installée à la fenêtre voisine où Gauvain l'avait rejointe pour l'entretenir en tête à tête pendant un long moment. Je ne sais à quel sujet et j'ignore ce qu'ils purent en dire. Mais, alors qu'ils étaient appuyés sur le rebord de la fenêtre, ils virent en contrebas, près de la rivière, passer une civière portée par deux chevaux sur laquelle reposait un chevalier accompagné de trois demoiselles qui laissaient éclater une grande douleur. Derrière la civière suivait une petite troupe conduite par un grand chevalier menant à sa gauche une dame d'une grande beauté. Le chevalier qui était accoudé pensivement à la fenêtre reconnut la reine : il se mit à la fixer intensément et comme en extase [5], aussi longtemps que cela lui fut possible. Et quand elle fut hors de sa vue, il voulut se laisser

1. ***Lattes*** : longues pièces de charpente en bois, minces, étroites et plates.
2. ***Fer en avant*** : la partie en fer de la lance pointée vers l'avant.
3. ***Par le flanc*** : par le côté.
4. ***Hôtes*** : étrangers qui reçoivent l'hospitalité. « Hôtes » peut également désigner ceux qui donnent l'hospitalité, qui hébergent.
5. ***Extase*** : émerveillement, enivrement, exaltation.

choir dans le vide. Son corps avait déjà à moitié basculé par la
105 fenêtre lorsque messire Gauvain s'en aperçut ; il le tira prestement [1] en arrière en lui disant :

« De grâce, sire, calmez-vous ! Ne vous mettez pas pareille folie en tête. Vous avez tort de vous haïr à ce point !

– Non, il a bien raison, fit la demoiselle. La nouvelle de sa
110 déchéance [2] et de son transport dans la charrette d'infamie [3] ne va-t-elle pas bientôt se répandre partout ? Il doit bien souhaiter sa mort car cela vaudrait mieux pour lui que de rester en vie. Sa vie est désormais vouée à la honte, au désespoir et à l'opprobre [4]. »

Là-dessus les chevaliers réclamèrent leurs armures et ils les
115 endossèrent. La demoiselle fit alors preuve de courtoisie et de générosité : après avoir ainsi autant raillé [5] et rabroué [6] le chevalier, elle lui fit don d'un cheval et d'une lance en témoignage de sympathie et de réconciliation. Les deux chevaliers, en hommes bien éduqués et courtois, prirent congé de la demoiselle et, après
120 l'avoir saluée, ils s'éloignèrent dans la direction où la petite troupe avait disparu. Et ils sortirent du château sans que personne ait eu l'occasion de leur adresser la parole.

Rapidement donc les deux chevaliers se sont dirigés dans la direction où ils avaient vu la reine disparaître mais ils n'ont pas
125 réussi à rejoindre la petite troupe qui devait chevaucher à bride abattue. Quittant la prairie, ils pénétrèrent dans une forêt domaniale [7] où ils trouvèrent un chemin empierré.

Longtemps ils chevauchèrent à travers la forêt et la journée était déjà bien entamée lorsqu'ils rencontrèrent une demoiselle à

---

1. ***Prestement*** : vivement.
2. ***Déchéance*** : abaissement, dégradation.
3. ***Infamie*** : honte, déshonneur.
4. ***Opprobre*** : déshonneur, honte.
5. ***Raillé*** : moqué, tourné en ridicule.
6. ***Rabroué*** : traité avec dureté.
7. ***Domaniale*** : qui appartient à un domaine, c'est-à-dire une terre possédée par un propriétaire.

un carrefour. Ils la saluent tous les deux et la prient de leur dire où l'on a emmené la reine, si elle le sait. Et, en personne avisée[1], elle leur répond :

« Si vous pouviez m'assurer de votre reconnaissance, je saurais bien vous mettre sur la bonne voie et vous nommer aussi la terre où elle va et le chevalier qui l'emmène. Mais il faudrait beaucoup de courage à celui qui voudrait entrer dans ce pays car, avant d'y être, il aurait beaucoup à souffrir.

– Demoiselle, lui répondit messire Gauvain, Dieu m'en soit témoin, je fais le serment de consacrer toutes mes forces à vous servir dès que vous l'exigerez à la seule condition que vous me révéliez la vérité. »

Quant à celui qui était monté sur la charrette, il ne prit pas l'engagement solennel de la servir de toutes ses forces, mais, en homme qui doit à Amour sa force, sa hardiesse et sa fortune[2], il l'assura simplement que, sans hésitation ni crainte, il accéderait à ses désirs et qu'il s'en remettait à son bon vouloir.

« Alors je vais vous le dire », fit-elle.

Et elle leur tint les propos suivants :

« Par ma foi, seigneurs, c'est Méléagant, un chevalier de grande taille, et d'une force peu commune, fils du roi de Gorre[3], qui l'a faite prisonnière et l'a conduite dans ce royaume dont nul étranger ne revient car il est contraint par la force d'y finir sa vie dans la servitude[4].

– Demoiselle, où est cette terre, questionna à nouveau celui que vous savez ; où pourrons-nous en trouver le chemin ?

– Vous allez le savoir, répondit-elle. Mais, sachez-le bien, votre route sera semée d'obstacles et d'embûches car on n'entre pas aisément dans ce pays si l'on n'a pas la permission expresse du

---

1. ***Avisée*** : réfléchie.
2. ***Fortune*** : ici, « bonne fortune », succès.
3. ***Gorre*** : voir note 2, p. 20.
4. ***Servitude*** : état de dépendance totale d'une personne à une autre, soumission.

roi qui se nomme Baudemagus. Pourtant on peut y pénétrer par 160 deux routes périlleuses[1] qui aboutissent à deux passages terriblement dangereux. L'un s'appelle le Pont-sous-les-eaux car il est entièrement sous l'eau et il y a autant d'eau au-dessous qu'au-dessus, ni plus ni moins : il est très exactement à mi-profondeur et il n'a qu'un pied et demi[2] de large et autant d'épaisseur. Le traver- 165 ser est un plaisir que l'on se refuse volontiers et pourtant c'est le passage le moins périlleux bien qu'il s'y passe maintes aventures dont je ne parlerai pas. L'autre pont est plus difficile d'accès et de loin beaucoup plus dangereux : jamais homme ne l'a franchi car il est tranchant comme une épée. C'est la raison pour laquelle tout 170 le monde l'appelle le Pont-de-l'épée. Je vous ai dit toute la vérité autant qu'il est en mon pouvoir de le faire. »

Et le même chevalier lui a encore demandé :

« Demoiselle, si vous le voulez bien, enseignez-nous ces deux routes.

175 – Voici celle qui conduit directement au Pont-sous-les-eaux, répondit la demoiselle, et voilà celle qui mène tout droit au Pont-de-l'épée. »

Alors le chevalier qui avait voyagé dans la charrette dit à son compagnon :

180 « Sire, je vous donne le choix sans arrière-pensée : prenez l'une de ces deux routes et laissez-moi l'autre. Choisissez celle que vous préférez.

– Ma foi, fit messire Gauvain, ces deux passages sont l'un et l'autre fort dangereux et sans doute fort dommageables. Je ne me 185 sens guère capable de choisir car je ne sais lequel j'aurais intérêt à prendre. Mais, puisque vous m'avez proposé le choix, il n'est pas séant[3] que j'hésite : j'opte pour le Pont-sous-les-eaux.

---

1. ***Périlleuses*** : dangereuses.
2. ***Un pied et demi*** : environ 48 cm ; le pied est une ancienne unité de mesure équivalant à environ 32 cm.
3. ***Séant*** : convenable.

– Alors il est juste que je me rende sans discuter au Pont-de-l'épée, répondit l'autre, et j'y consens bien volontiers. »

190 Ils se séparèrent tous les trois, se recommandant les uns les autres de grand cœur à Dieu. En les voyant partir, la demoiselle leur rappela :

« Chacun de vous me doit en retour un service de mon choix à me rendre au moment où je l'aurai décidé : prenez garde à ne pas 195 l'oublier.

– Nous ne l'oublierons pas, soyez-en certaine, douce amie », répondirent-ils tous les deux.

Et chacun s'éloigna dans la direction qu'il avait choisie.

4. Le gué périlleux

Le chevalier de la charrette s'est enfoncé dans ses pensées comme un homme qu'Amour gouverne entièrement au point de le rendre sans force et sans défense. Il est tellement plongé dans ses pensées qu'il s'en oublie lui-même. Il ne sait s'il existe ou s'il 5 n'existe pas ; il a oublié jusqu'à son nom ; il ne sait s'il est armé ou non ; il ne sait d'où il vient ni où il va. Il ne se souvient d'aucun visage, excepté d'un seul qui lui a fait reléguer tous les autres dans l'oubli. Il y pense si fort qu'il n'entend plus rien, ne voit plus rien et ne réfléchit plus à rien. Et son cheval l'emporte à 10 grande allure, en évitant les détours, par le chemin le plus direct et le meilleur. Et il fit tant et si bien que, par aventure, il le conduisit jusque dans une lande [1] où coulait une rivière que l'on pouvait traverser par un gué [2]. De l'autre côté du gué, un

1. ***Lande*** : étendue de terre inculte où ne poussent que certaines plantes sauvages.
2. ***Gué*** : endroit d'une rivière où le niveau de l'eau est assez bas pour que l'on puisse traverser à pied.

chevalier armé de toutes pièces montait la garde, accompagné d'une demoiselle venue sur un palefroi[1]. Il était déjà plus de midi et notre rêveur de chevalier n'était pas encore sorti de ses pensées. Son cheval, qui avait grand soif, vit l'eau claire et transparente ; sans attendre, il galopa vers le gué. Sur l'autre rive, une voix retentit :

« Chevalier, je garde ce gué et vous interdis formellement d'y entrer. »

Mais le rêveur ne l'entendit même pas et ne lui prêta aucune attention : il restait confiné dans ses pensées. Et son cheval, qu'il laissait aller librement, se précipita vers l'eau. Alors le gardien du gué lui ordonna vivement de retenir sa monture[2] :

« Laisse ce gué, tu feras preuve de sagesse, car ce n'est pas là que l'on doit passer. »

Et il jure sur ce qu'il a de plus cher qu'il le frappera s'il fait mine d'y entrer. Mais le rêveur ne l'entend toujours pas. Une troisième fois le gardien lui crie :

« Chevalier, n'entrez pas dans le gué contre ma défense et ma volonté car, par ma tête, je vous frapperai de ma lance dès que je vous y verrai entrer ! »

Mais le rêveur est toujours si accaparé par ses pensées qu'il ne l'entend pas et son cheval, d'un bond, quitte la berge et saute dans l'eau où il commence à s'abreuver goulûment[3]. Le gardien du gué crie alors à l'intrus qu'il va payer cher son insolence et que ni son écu ni son haubert[4] ne le protégeront du châtiment. Il lance son cheval au galop, pique droit sur lui et le frappe si violemment qu'il l'étend de tout son long au milieu du gué dont il lui défendait l'accès. Sous le choc, la lance et l'écu du rêveur lui échappent et

---

1. ***Palefroi*** : voir note 1, p. 24.

2. ***Sa monture*** : ici, son cheval ; la monture est l'animal sur lequel on monte pour se faire transporter.

3. ***Goulûment*** : avec voracité.

4. ***Haubert*** : chemise de mailles à manches, à gorgerin (partie protégeant le cou) et à coiffe.

volent dans l'eau. En sentant la brusque froideur de l'eau, celui-ci tressaille et se relève d'un bond en s'ébrouant[1], comme un dormeur arraché au sommeil. Il retrouve ses esprits et se demande
45 avec étonnement qui a bien pu le frapper. C'est alors qu'il aperçoit le gardien du gué :

« Vassal[2], lui crie-t-il, pourquoi m'as-tu frappé, alors que j'ignorais ta présence et ne t'avais en rien porté préjudice[3] ? Dis-le-moi.

– Si fait[4], répond celui-ci. Ne m'avez-vous pas tenu pour moins
50 que rien lorsque par trois fois je vous ai interdit d'entrer dans le gué et encore en hurlant autant que je l'ai pu ? Vous avez fort bien entendu mon défi au moins deux fois si ce n'est trois. Et pourtant malgré mon interdiction et ma menace de vous frapper dès que je vous verrais franchir le gué, vous êtes entré dans l'eau !

55 – Puissé-je être maudit si jamais je vous entendis ou vous vis ! Il est fort possible que vous m'ayez interdit l'accès du gué mais j'étais perdu dans mes pensées. Et sachez que vous vous repentiriez[5] d'avoir agi ainsi si seulement je pouvais d'une main saisir votre cheval au mors !

60 – Et qu'arriverait-il ? répliqua le chevalier. Si tu l'oses, tu peux sur-le-champ essayer de saisir le mors de mon cheval. Je n'attache pas plus d'importance à ton arrogante menace qu'à une poignée de cendres !

– Je ne demande pas mieux ! Quoi qu'il en advienne, je vou-
65 drais l'avoir déjà saisi ! »

Alors l'autre s'avança jusqu'au milieu du gué. Vif comme l'éclair, celui qu'il avait frappé le saisit de la main gauche par la rêne et de la droite il lui agrippe la cuisse. Il la serre comme dans un étau et la tire avec une telle violence que l'autre gémit car il a

---

1. ***En s'ébrouant*** : en s'agitant pour sortir de son état d'engourdissement.
2. ***Vassal*** : voir note 1, p. 8.
3. ***Porté préjudice*** : causé du tort.
4. ***Si fait*** : mais oui.
5. ***Vous vous repentiriez*** : vous regretteriez, vous vous reprocheriez.

l'impression qu'on la lui arrache du corps ; et il le supplie de le relâcher en lui disant :

« Chevalier, s'il te plaît de te mesurer à moi en égal, prends ton écu, ton cheval et ta lance et joute[1] contre moi.

– Il n'en est pas question car, par ma foi, j'ai comme l'impression que tu prendrais la fuite dès que je t'aurais relâché ! »

En entendant ces mots, le gardien du gué blêmit de honte. Il rétorqua :

« Chevalier, enfourche ton cheval en toute quiétude[2] : je m'engage loyalement à ne pas m'esquiver. Tu m'as injurié et j'en suis ulcéré[3]. »

Mais celui qui le maintient encore fermement lui réplique :

« Avant, je veux que tu t'engages d'abord envers moi par un serment. Jure-moi que tu ne t'enfuiras pas, que tu ne me toucheras pas et que tu ne t'approcheras pas de moi tant que je ne serai pas monté à cheval. Je t'aurai fait une grande faveur en te lâchant alors que je te tiens. »

Le gardien du gué prêta serment car il n'avait pas d'autre solution et son adversaire, rassuré par la parole donnée, alla récupérer son écu et sa lance qui descendaient le courant en flottant au fil de l'eau et se trouvaient déjà assez loin, puis il revint prendre son cheval et sauta en selle. Il passa son bras dans les courroies de son écu et cala sa lance en arrêt sur l'arçon de sa selle. Alors ils éperonnèrent leurs chevaux et fondirent l'un sur l'autre aussi vite que leurs montures pouvaient galoper.

Celui qui avait pour charge de défendre le gué fut le premier à porter un coup à son adversaire et il le frappa avec une violence telle que sa lance vola en éclats ; mais ce dernier riposte avec tant de vigueur qu'il l'envoie valser les quatre fers en l'air au milieu du gué où il est vite recouvert par les eaux. Après quoi l'auteur de

1. ***Joute*** : combats ; la joute est le combat à la lance et à cheval.
2. ***En toute quiétude*** : avec calme et sérénité.
3. ***Ulcéré*** : blessé.

100 cet exploit revint vers la rive où il mit pied à terre car il se sentait de taille à mettre en fuite devant lui cent adversaires du même acabit[1]. Il tire du fourreau[2] son épée d'acier pendant que l'autre se remet sur pied et dégaine à son tour une solide épée bien luisante. Ils se ruent au corps à corps, se protégeant de leurs 105 écus incrustés d'or et, sans un instant de répit, font merveille de leurs épées. Ils se portent des coups terribles et la bataille se prolonge tant que le chevalier de la charrette en ressent en son cœur une grande honte. Il se dit qu'il tiendra bien mal la promesse qu'il a faite en entrant dans la voie qu'il suit s'il lui faut 110 autant de temps pour vaincre un seul chevalier. Hier encore, en eût-il rencontré cent de la même force en un vallon[3] qu'ils n'auraient pas été capables de lui résister, pense-t-il ; et il en est tout attristé car il se sent diminué et a l'impression de perdre ses coups et de gaspiller sa journée. Alors il se jette sur l'autre et le 115 harcèle avec une vigueur telle qu'il le contraint à lâcher pied et à s'enfuir en lui abandonnant bien malgré lui le passage du gué. Ce qui n'empêche pas le chevalier de la charrette de le poursuivre jusqu'à ce qu'il en tombe sur les mains d'épuisement, et de bondir sur lui en jurant par tout ce qui lui passe par la tête qu'il 120 paiera cher pour l'avoir fait choir dans l'eau du gué en le tirant brutalement de ses pensées.

La demoiselle que le gardien du gué avait amenée avec lui entend les menaces que profère le chevalier de la charrette ; elle en est effrayée et le supplie, pour l'amour d'elle, d'épargner le 125 vaincu. Mais il répond qu'il n'en fera rien : il ne peut lui faire grâce car l'insolent lui a infligé une trop grande honte. Et l'épée nue, il s'approche du vaincu qui, tout épouvanté, lui demande :

« Pour l'amour de Dieu, et pour moi, accordez-lui la grâce que moi aussi je vous demande.

---

1. ***Du même acabit*** : de même nature.
2. ***Fourreau*** : étui.
3. ***Vallon*** : petite vallée.

130 – Aussi vrai que je crois profondément en Dieu, je peux bien affirmer que jamais personne, aussi déloyal qu'il ait été à mon égard, ne m'a demandé grâce en Son Nom sans que je ne la lui accorde au moins une fois pour l'amour de Lui, comme c'est justice. De toi aussi j'aurai pitié car je ne peux te refuser la grâce 135 puisque tu l'as implorée. Mais avant, tu vas me promettre solennellement de te rendre prisonnier là où je le voudrai quand je t'en donnerai l'ordre. »

Le vaincu, qui en est mortifié[1], s'exécute. Mais la demoiselle ajoute :

140 « Chevalier, j'en appelle à ta générosité : puisque tu lui as fait grâce dès qu'il te l'a demandé, si jamais tu rendis la liberté à un prisonnier, accorde-moi la sienne. Pour moi déclare-le quitte de sa peine et je te promets qu'en retour tu recevras de moi au moment opportun[2] la récompense qui te plaira si je peux te la donner. »

145 Alors le chevalier de la charrette comprit à ses paroles qui elle était[3] et il lui accorda la liberté du prisonnier. Celle-ci en ressentit une certaine gêne teintée d'angoisse car elle se douta qu'il l'avait reconnue, ce qu'elle aurait préféré éviter. Mais le chevalier avait hâte de les quitter ; la demoiselle et celui qu'il venait de libérer le 150 recommandèrent à Dieu en prenant congé de lui et il se mit en route. [...]

*

[Le soir venu, Lancelot est hébergé par une demoiselle à la condition qu'il partage son lit. Lancelot accepte à contrecœur et ne tarde pas à sauver la jeune femme d'un viol. Cela lui vaut d'être délié de son engagement. Cette demoiselle décide ensuite d'accompagner le chevalier. Au détour

1. ***Mortifié*** : profondément blessé, humilié, froissé.
2. ***Au moment opportun*** : au bon moment.
3. On peut supposer qu'il s'agit de la demoiselle rencontrée précédemment au carrefour et à laquelle il avait assuré qu'il accéderait à ses désirs en échange du service rendu (voir p. 37-40).

d'une route, ils découvrent une fontaine près de laquelle la reine a oublié un peigne, puis ils pénètrent dans une forêt et se retrouvent face au prétendant de la demoiselle : il veut contraindre celle-ci à le suivre. Le combat entre le jeune homme et Lancelot est cependant évité.
Lancelot et la jeune femme poursuivent leur chemin, arrivent à un cimetière dans lequel le chevalier découvre sa propre tombe et soulève la plaque qui lui révèle son exploit futur : libérer les captifs du royaume de Gorre. C'est alors que la demoiselle décide de retourner sur ses pas.
Lancelot continue seul son chemin ; il est accueilli pour la nuit par un vavasseur[1] et sa famille. Avec deux des fils de son hôte, il franchit le Passage des Pierres et participe à la révolte des captifs qui reconnaissent en lui leur libérateur. Après la bataille, tous lui offrent le gîte pour la nuit et lui font une grande fête.]

5. Le chevalier provocateur

Au matin quand vint le moment de se séparer, tous voulurent partir avec lui. Chacun s'offrit corps et âme à se dévouer pour lui. Mais lui ne désirait emmener personne avec lui, excepté les deux compagnons qu'il avait déjà conduits jusqu'ici : de ces deux-là
5 sans plus, il avait fait sa suite[2]. Ce jour-là, ils chevauchèrent du petit matin jusqu'au soir sans rencontrer la moindre aventure. Ils allaient grand train[3] et pourtant ils ne sortirent que fort tard d'une forêt qu'ils traversèrent. En sortant de la forêt, ils aperçurent le manoir d'un chevalier. Sa femme, qui avait l'air accueillante, était
10 assise devant la porte. Dès qu'elle les vit, elle se leva à leur rencontre et, le visage souriant, elle les salua :

1. ***Vavasseur*** : arrière-vassal, vassal d'un vassal.
2. ***Suite*** : escorte, personnes qui se déplacent en en suivant une autre.
3. ***Ils allaient grand train*** : ils cheminaient à grande allure.

« Soyez les bienvenus ! Je veux vous recevoir chez moi. Descendez de cheval, vous avez le gîte et le couvert !

– Dame, merci. Puisque vous l'ordonnez, nous mettrons pied à terre et nous logerons chez vous cette nuit. »

Ils mirent pied à terre et la dame fit aussitôt prendre leurs montures. Elle avait une grande famille. Elle appela ses fils et ses filles qui s'empressèrent d'accourir : c'étaient des jeunes gens courtois et avenants, chevaliers et gentes demoiselles [1]. Aux premiers elle ordonna de desseller les chevaux et de bien les panser [2]. Pas un n'aurait osé la contredire ; tous, au contraire, obéirent de bon gré. Elle demanda ensuite qu'on désarme les chevaliers et ses filles bondirent pour le faire. Elles les désarmèrent et leur donnèrent à revêtir trois courts manteaux. Après quoi on les conduisit au manoir qui était fort beau. Le maître des lieux était absent : il chassait dans la forêt accompagné de deux de ses fils. Mais il arriva bientôt et sa famille, qui était fort bien élevée, sortit vite pour l'accueillir. Ses enfants déchargèrent rapidement son cheval de la venaison [3] qu'il rapportait et ils le mirent au fait des nouvelles :

« Sire, sire, vous ne le savez pas mais vous avez trois chevaliers pour hôtes.

– Dieu en soit loué », répondit-il.

Le père et ses deux fils firent grande fête à leurs hôtes pendant que sa famille ne restait pas inactive : même le plus jeune de tous s'efforçait de prendre part à ce qu'il y avait à faire. Les uns coururent hâter la préparation du repas ; les autres allumèrent des chandelles, préparèrent les serviettes et les bassins et y versèrent sans mesurer l'eau pour les ablutions [4]. On se lava les mains et on

---

1. ***Gentes demoiselles*** : demoiselles de noble naissance, aux manières distinguées.

2. ***Panser*** : soigner.

3. ***Venaison*** : gibier.

4. ***Les ablutions*** : la toilette.

passa à table. Rien dans cette maison ne causait de déplaisir ni de désagrément.

Alors qu'on en était encore au premier plat, survint un événement inattendu sous la forme d'un chevalier plus orgueilleux qu'un taureau – c'est de loin la bête la plus orgueilleuse de toutes – qui se présenta à la porte du manoir. Armé de pied en cap, il était assis à sa manière sur son destrier : il prenait appui d'une seule jambe sur un étrier[1] et avait passé l'autre, pour faire l'élégant, sur le cou de son cheval à la longue crinière. Il s'avança dans cette posture, sans que personne ne prît garde à lui, jusqu'à la table où se trouvaient les convives[2], et leur dit :

« Lequel d'entre vous, je tiens à le savoir, est assez fou, assez orgueilleux et assez écervelé pour entrer dans ce pays et croire pouvoir franchir le Pont-de-l'épée ? Il s'est donné beaucoup de mal pour rien et a perdu son temps. »

Celui auquel il s'adressait, sans être le moins du monde troublé, lui répondit alors calmement :

« C'est moi qui veux passer le Pont.

– Toi ? Toi ! Comment as-tu osé penser une telle chose ? Avant de te lancer dans une telle entreprise, tu aurais d'abord dû réfléchir à la manière dont elle pourrait se terminer pour toi. Tu aurais dû te rappeler de la charrette dans laquelle tu es monté. Je ne sais si tu éprouves quelque honte d'y être monté mais tout homme en possession de tout son bon sens n'aurait jamais tenté une aussi grande épreuve après avoir subi une telle souillure. »

Le chevalier de la charrette ne daigna même pas répondre un seul mot aux propos tenus par l'arrivant. Mais le seigneur de la maison et toute sa famille s'en étonnèrent à juste titre au plus haut point.

« Ah ! Dieu, se dit chacun, quelle mésaventure ! Que maudite soit l'heure où, pour la première fois, on eut l'idée de faire une

1. ***Étrier*** : anneau qui pend de chaque côté de la selle et soutient le pied du cavalier.
2. ***Convives*** : invités.

charrette ! C'est une invention vile[1] et méprisable. Ah ! Dieu ! de quoi fut-il accusé ? Pourquoi fut-il conduit sur une charrette ? pour quel forfait, pour quel péché ? Cela lui sera toujours reproché. S'il était innocent de ce dont on l'accuse, dans le monde entier on ne trouverait pas un autre chevalier, si brillant soit-il, qui le vaille. Vraiment, si on rassemblait tous les chevaliers, on n'en verrait aucun d'aussi noble et d'aussi beau. »

C'est ce qu'ils se disaient tous. Mais l'autre, gonflé d'orgueil, recommença ses attaques :

« Chevalier, toi qui vas au Pont-de-l'épée, écoute ce que j'ai à te dire : si tu le veux, tu passeras la rivière sans peine et sans douleur car je te ferai traverser dans une barque. Mais, quand je t'aurai conduit sur l'autre bord, s'il me plaît de te réclamer un péage, alors je pourrai à mon gré te prendre ou non la tête. Il n'en tiendra qu'à moi. »

Le chevalier de la charrette lui répondit qu'il ne recherchait pas son propre malheur et que jamais il n'aventurerait sa tête de la sorte même pour éviter un danger plus grand. L'autre lui répliqua :

« Puisque tu refuses mon offre, il va te falloir sortir dehors pour te mesurer à moi en corps à corps, quelle que soit la honte ou la douleur qui en résulte pour l'un ou l'autre. »

Pour se moquer un peu de lui, le chevalier de la charrette lui répondit ironiquement[2] :

« Si je pouvais refuser ce combat, je m'en dispenserais bien volontiers mais je préfère encore me battre plutôt que de devoir m'exposer à pire. »

Avant même de se relever de la table où ils étaient assis, il demanda aux jeunes gens qui le servaient de seller rapidement son cheval et d'aller lui chercher ses armes. Ceux-ci se hâtent de lui obéir : les uns s'emploient à l'armer, les autres lui amènent son destrier. Et sachez-le bien, tandis qu'en selle il avançait au pas,

---

1. ***Vile*** : voir note 2, p. 30.
2. ***Ironiquement*** : en se moquant de lui.

armé de pied en cap et tenant solidement son écu par les sangles de bras, il n'y avait aucune apparence qu'on pût oublier de le compter parmi les plus beaux et les plus vaillants[1] chevaliers. Son cheval et l'écu qu'il portait au bras lui convenaient si bien qu'on les eût dit faits pour lui. Il portait sur la tête un heaume lacé qui lui allait si parfaitement qu'il ne pouvait venir à l'idée qu'il l'eût emprunté ou loué. On aurait même pu dire, tant cet accord était plaisant à voir, qu'il était né avec ce heaume et avait grandi avec. J'aimerais beaucoup que vous accordiez foi à mes propos.

Celui qui avait lancé le défi attendait hors du manoir, dans une lande où devait avoir lieu le combat. Dès qu'ils sont face à face, les deux chevaliers s'élancent l'un contre l'autre à bride abattue et ils se heurtent avec violence. Le choc des lances est tel qu'elles se plient en arc et volent en éclats. Ils prennent leurs épées et se portent de rudes coups qui endommagent les écus, les heaumes et les cottes de mailles[2]. Ils font de larges brèches dans le bois des écus, rompent leurs cottes de mailles et se blessent en maints endroits. Ils se rendent leurs coups avec rage comme s'ils respectaient un contrat.

Mais souvent, en glissant, les épées atteignent la croupe des chevaux. Elles se rougissent de sang en entaillant le flanc des malheureuses bêtes qui ne tardent pas à tomber mortes toutes les deux. À peine ont-ils roulé à terre, que les deux combattants se ruent à pied l'un contre l'autre. S'ils s'étaient haïs à mort, ils ne se seraient pas battus plus sauvagement avec leurs épées. Ils se frappent à un rythme plus rapide que celui avec lequel le joueur le plus invétéré[3] lance ses deniers[4] en doublant sa mise chaque fois qu'il perd. Mais il s'agissait là d'un jeu bien différent où il n'y

1. ***Vaillants*** : braves, courageux.
2. ***Cottes de mailles*** : tuniques, armures défensives, à mailles métalliques (voir aussi « haubert », note 4, p. 41).
3. ***Invétéré*** : habitué.
4. ***Deniers*** : petites pièces ; le denier est une ancienne monnaie.

avait aucun hasard mais des coups solidement assenés[1] dans un
130 violent corps à corps sans merci. Tout le monde était sorti du manoir, le seigneur, sa femme, ses filles et ses fils. Personne n'y était resté, qu'il appartînt ou non à la maison. Tous étaient venus en rang serré assister à la bataille au milieu de la vaste lande. Aussi le chevalier de la charrette s'accuse-t-il de lâcheté quand il
135 se voit observé par son hôte et quand il s'aperçoit que tous les autres ont les yeux fixés sur lui ; il en tremble de fureur car il lui semble qu'il aurait dû depuis bien longtemps avoir vaincu son opposant. Alors il l'assaille à coups redoublés qui pleuvent dru[2] autour de sa tête ; il le bouscule comme un ouragan, le presse et
140 le contraint à céder du terrain. Il le fait reculer et le malmène si durement que l'autre est bien près d'en perdre le souffle et qu'il n'a plus guère la force de se défendre. C'est à cet instant que le chevalier de la charrette se rappela que son adversaire lui avait durement reproché sa mésaventure avec des mots offensants. Il le
145 contourne alors et lui porte des coups tels qu'il lui rompt tous les lacets et toutes les courroies qui retenaient le heaume au col de la cotte de mailles ; puis d'un dernier coup il lui fait voler de la tête le heaume avec sa ventaille[3]. Et il continue de le harceler et de le malmener tant et si bien que le malheureux est contraint de
150 demander grâce. Comme l'alouette qui ne peut fuir longtemps ni trouver un refuge dès que l'émerillon[4] la domine dans son vol après l'avoir rattrapée, le vaincu, tout honteux, doit implorer la pitié de son vainqueur car il ne peut rien faire d'autre. Et quand ce dernier entend son adversaire lui demander grâce, il retient ses
155 coups et lui demande :

« Tu veux que je te fasse grâce ?

---

1. ***Des coups* [...] *assenés*** : des coups donnés.
2. ***Pleuvent dru*** : tombent sans répit, fortement.
3. ***Ventaille*** : partie de la visière du heaume par où passe l'air.
4. ***Émerillon*** : petit faucon au vol rapide.

– Vous avez sainement parlé : c'est ce que même un simple d'esprit pourrait dire, répondit le vaincu. Jamais je n'ai eu autant envie de quelque chose que d'obtenir ma grâce aujourd'hui !

160 – Alors il te faudra monter sur une charrette. Tout ce que tu pourrais me dire ne servirait à rien si tu ne montais pas dans la charrette car tu as eu des paroles assez insensées pour me l'avoir reproché en des termes par trop offensants.

– À Dieu ne plaise que j'y monte jamais ! répondit le cheva-
165 lier.

– Ah non ? fait le chevalier de la charrette, eh bien tu vas mourir !

– Sire, vous êtes en droit de me tuer, mais au nom de Dieu je vous supplie de m'accorder grâce à la seule condition de ne pas
170 me contraindre à monter dans la charrette. Il n'y a nulle sentence[1], aussi dure soit-elle, que je n'accepterai excepté celle-ci car je préférerais être mort plutôt que de subir pareille infamie[2]. Mais il n'y a pas d'autre châtiment que vous m'infligerez, si dur soit-il, que je refuse de subir en échange de votre pardon. »

175 Pendant que celui-ci le supplie de lui faire grâce, voici qu'arrive, à travers la lande, une demoiselle montée sur une mule fauve qui marchait à l'amble[3]. Sans manteau et les cheveux flottant au vent, elle tenait à la main une escourgée[4] dont elle donnait de grands coups sur les flancs de sa mule qui, en vérité, avançait plus vite à
180 l'amble que ne l'aurait fait un cheval au grand galop. Elle s'adressa au chevalier de la charrette et lui dit :

« Chevalier, que Dieu t'emplisse le cœur d'une joie parfaite qui te vienne de l'objet de tes plus chers désirs ! »

Celui-ci, qui lui avait prêté l'oreille avec grand plaisir, lui
185 répondit :

---

1. ***Sentence*** : jugement, verdict.
2. ***Infamie*** : voir note 3, p. 37.
3. ***À l'amble*** : en levant en même temps les deux pattes du même côté.
4. ***Escourgée*** : baguette.

« Que Dieu vous bénisse, demoiselle, et vous donne la santé et la joie ! »

Alors celle-ci lui fit part de ce qu'elle souhaitait :

« Chevalier, je suis venue de très loin en me hâtant pour te demander un don et tu en auras une récompense aussi grande que je pourrai te la donner car je pense qu'un jour tu auras besoin de mon aide.

– Dites-moi ce que vous désirez, répondit-il, et si je l'ai, vous pourrez l'obtenir sur-le-champ à condition que ce ne soit pas une chose trop pénible à accorder.

– Ce que je veux, c'est la tête de ce chevalier que tu as vaincu car je peux bien t'assurer que jamais on n'en vit de plus cruel et de plus déloyal. Tu ne commettras là aucun péché : au contraire tu feras un acte juste et méritoire car c'est l'être le plus abject[1] qui ait jamais existé et existera sous le soleil. »

Quand le vaincu entendit la demoiselle demander sa tête, il se mit à supplier le chevalier :

« Ne la croyez pas car elle me hait. Je vous en conjure, ayez pitié de moi au nom de ce Dieu tout-puissant qui est à la fois le fils et le père et qui, pour mère, voulut celle qui était sa fille et sa servante.

– Ah ! chevalier, répliqua la demoiselle, n'ajoute pas foi aux propos de ce traître ! Que Dieu te donne autant de joie et d'honneur que tu peux en souhaiter et qu'il t'accorde de mener à bien ce que tu as entrepris. »

Le chevalier de la charrette est bien embarrassé ; il reste un bon moment à réfléchir : donnera-t-il la tête du vaincu à celle qui l'exhorte à la trancher ou bien aura-t-il assez d'indulgence[2] pour le prendre en pitié ? Il voudrait satisfaire les vœux de l'un et de l'autre car Largesse et Pitié lui ordonnent d'accéder à leurs désirs et il avait un cœur à la fois généreux et ouvert à la pitié. Si la demoiselle emporte la tête du vaincu, Pitié aura succombé mais si elle doit y

---

1. ***Abject*** : abominable, ignoble.
2. ***Indulgence*** : bienveillance, bonté.

renoncer, alors Largesse aura le dessous ! Il se sent prisonnier de leur double contrainte : chacune le tourmente cruellement. L'une le pousse à accorder la tête du vaincu à la demoiselle qui la lui
220 demande et l'autre lui recommande de laisser parler sa pitié et sa noblesse de cœur. Dans la mesure où le vaincu a fait appel à sa clémence [1], lui sera-t-elle refusée ? Non, car il ne lui est jamais arrivé de refuser de faire grâce au moins une fois à quiconque, fût-il son pire ennemi, dès lors qu'il l'avait vaincu et contraint à lui
225 crier merci [2]. Mais il n'avait cependant jamais accordé plus. Donc, selon son habitude, il ne refusera pas de faire grâce à celui qui l'en implore. Mais la demoiselle qui réclame la tête du vaincu, l'aura-t-elle ? Oui, s'il le peut.

« Chevalier, fit-il, il te faut derechef [3] combattre contre moi : si
230 tu veux sauver ta tête, je t'accorde la faveur de reprendre ton heaume et de t'armer de nouveau de pied en cap du mieux que tu le pourras. Mais sache bien que si je te vaincs une seconde fois, tu mourras sans rémission [4].

– Je ne demande pas mieux, répondit l'autre. Je ne veux pas
235 d'autre faveur.

– Et je vais encore te donner un avantage supplémentaire, ajouta le chevalier de la charrette : je me battrai contre toi sans bouger de là où je suis. »

L'autre se prépara et ils reprirent le combat avec acharnement.
240 Mais cette fois-ci le chevalier de la charrette vint à bout de son adversaire bien plus facilement et plus rapidement qu'il ne l'avait fait la première fois. Aussitôt la demoiselle lui cria :

« Quoi qu'il te dise, ne l'épargne pas, chevalier, car lui ne t'aurait pas épargné s'il avait pu te vaincre une fois ! Il faut que
245 tu le saches : si tu l'écoutes, il te trompera une nouvelle fois.

---

1. ***Clémence*** : générosité, indulgence.
2. ***Crier merci*** : demander grâce de manière véhémente, implorer son pardon.
3. ***Derechef*** : à nouveau, une autre fois.
4. ***Sans rémission*** : sans indulgence, sans possibilité de pardon.

Allez, noble chevalier, coupe la tête au plus déloyal du royaume et donne-la-moi. Il te faut me la donner car un jour viendra, je crois, où je t'en récompenserai. Alors que lui, s'il lui était donné de le faire, il t'abuserait une nouvelle fois de ses belles paroles ! »

250 Le vaincu, qui voit sa mort prochaine, lui demande grâce à grands cris mais ses supplications et tout ce qu'il peut trouver à dire ne lui servent à rien car le chevalier de la charrette le saisit par le heaume dont il tranche tous les lacets puis il lui enlève de la tête sa ventaille et sa coiffe aux mailles luisantes. Le malheu-255 reux presque à bout de souffle redouble ses prières :

« Au nom de Dieu, grâce ; grâce vaillant chevalier !

– Aussi vrai que je tiens au salut de mon âme, jamais je n'aurai pitié de toi puisqu'une fois déjà je t'ai fait grâce.

– Ah ! vous feriez un grand péché de me tuer ainsi pour satis-260 faire mon ennemie ! »

Mais celle qui veut à tout prix le voir périr pousse par ailleurs le chevalier de la charrette à lui trancher la tête au plus vite et le supplie de rester sourd à ses prières. Alors celui-ci, d'un seul coup, fait voler la tête du vaincu parmi la lande ; le corps s'af-265 faisse au grand plaisir de la demoiselle. Le chevalier de la charrette va prendre la tête par les cheveux et la lui tend. Elle en est folle de joie :

« Puisse ton cœur recevoir de l'objet qu'il désire le plus au monde une aussi grande joie que celle que j'éprouve devant l'objet 270 de ma plus grande haine, lui dit-elle. Rien ne m'attristait plus que de le voir encore en vie ! Je te dois une récompense : elle viendra au moment opportun[1]. Je peux t'affirmer que tu tireras grand profit du service que tu m'as rendu. Maintenant il me faut partir. Je te recommande à Dieu : qu'il te préserve de tous les périls. »

275 Sur ces mots, la demoiselle s'éloigne après que l'un et l'autre se sont recommandés à Dieu. Tous ceux qui, dans la lande, avaient assisté à la bataille sentent croître leur joie. Ils désarment le

---

1. ***Au moment opportun*** : voir note 2, p. 45.

chevalier en exultant[1] et s'emploient à l'honorer de leur mieux. Sans plus attendre, ils se relavent les mains pour se rasseoir à
280 table : ils sont bien plus gais qu'ils ne l'étaient auparavant et ils mangent avec grand plaisir. Quand ils eurent mangé en prenant leur temps, le vavasseur[2] dit à son hôte qui était assis à côté de lui :

« Sire, il y a bien longtemps que nous sommes arrivés là, venant
285 du royaume de Logres[3] où nous sommes nés. Aussi nous aimerions beaucoup que vous rencontriez un grand succès dans ce pays et que vous en retiriez beaucoup d'honneur car nous en partagerions le profit avec vous. Si vous réussissiez dans votre entreprise, maints autres exilés y retrouveraient aussi leur compte.

290 – Dieu vous entende ! » répondit le chevalier.

Quand le vavasseur eut fini de parler, l'un de ses fils prit à son tour la parole :

« Sire, nous devrions d'abord mettre tous nos biens à votre service et donner plutôt que promettre. Si vous aviez besoin de
295 quoi que ce soit, nous ne devrions pas attendre que vous le réclamiez pour vous l'offrir. Sire, ne vous tracassez pas pour la mort de votre cheval car nous avons ici de solides destriers. Je désire par-dessus tout que vous usiez de nos biens : pour remplacer votre cheval, vous prendrez le meilleur des nôtres car vous
300 en avez bien besoin.

– J'accepte volontiers », répondit le chevalier de la charrette.

On s'occupa alors de préparer les lits et tout le monde alla se coucher. Aux premières lueurs du jour, le chevalier de la charrette et ses compagnons se levèrent et se préparèrent. Une fois
305 prêts, ils reprirent leur route. Mais avant de repartir, le chevalier de la charrette n'oublia pas les règles du savoir-vivre : il prit congé de la dame, du vavasseur ainsi que de tous les autres. Et, pour ne

---

1. ***En exultant*** : en se réjouissant.
2. ***Vavasseur*** : voir note 1, p. 46.
3. ***Royaume de Logres*** : voir note 2, p. 20.

rien oublier, j'ajouterai que le chevalier de la charrette refusa de monter le cheval qu'on lui avait offert et qu'on lui avait amené
310 devant la porte : je tiens à le dire, il y fit monter l'un des deux chevaliers qui étaient venus avec lui et lui-même enfourcha le cheval de ce dernier, geste de courtoisie qu'il lui était agréable d'accomplir.

Quand tous les trois furent en selle, ils se mirent en route avec
315 la permission de leur hôte qui les avait reçus et honorés aussi bien qu'il avait pu le faire. Jusqu'au crépuscule[1], ils ne cessèrent de chevaucher et vers le soir ils arrivèrent au Pont-de-l'épée.

6. Le Pont-de-l'épée

À l'entrée de ce pont effrayant, ils mettent pied à terre et regardent couler dru l'eau profonde, sombre et perfide[2], aux flots tumultueux[3]. Elle est si terrifiante qu'on croirait voir le fleuve des Enfers[4], et elle a un tel débit[5] qu'il n'est personne au
5 monde qui, s'il y tombait, ne serait englouti comme dans la mer salée. Quant au pont qui la traverse, il n'est pareil à nul autre et jamais sans doute il n'en exista ni n'en existera de semblable. Si l'on veut savoir la vérité, jamais pont ne parut si sinistre et tablier[6] plus détestable : ce pont qui traversait l'eau glacée était
10 constitué d'une épée tranchante et bien fourbie[7]. Cette épée dure et solide mesurait bien la longueur de deux lances. Elle était

1. ***Au crépuscule*** : à la nuit tombante.
2. ***Perfide*** : fourbe, traître.
3. ***Tumultueux*** : agités et bruyants.
4. ***Le fleuve des Enfers*** : il s'agit du Styx; dans la mythologie grecque, il sépare le royaume des vivants de celui des morts, les Enfers.
5. ***Débit*** : écoulement.
6. ***Tablier*** : plateforme qui constitue le plancher d'un pont.
7. ***Fourbie*** : au métal brillant et poli.

fichée sur chaque rive du fleuve dans un grand billot[1] de bois. On ne pouvait pas craindre de chuter par suite de sa rupture ou de son fléchissement car elle était si bien forgée qu'elle pouvait 15 supporter une grande charge. Ce spectacle attristait fort les deux compagnons du chevalier car ils pensaient voir, de plus, deux lions ou deux léopards enchaînés à un bloc de pierre à l'autre extrémité du pont. La vue de l'eau, du pont et des lions les met dans un tel effroi[2] qu'ils en tremblent de peur.

20 « Sire, disent-ils, tirez les conclusions de la réalité qui s'offre à votre regard : vous ne pouvez faire autrement que de les accepter. Ce pont est mal charpenté et bien mauvaisement construit. Si vous ne faites pas maintenant demi-tour, vous vous en repentirez trop tard ! Dans beaucoup de cas semblables il faut d'abord réfléchir 25 avant de s'engager. Supposons que vous ayez traversé – ce qui ne risque pas de se produire, pas plus qu'il ne vous est possible d'empêcher les vents de souffler et les oiseaux de chanter, pas plus qu'il n'est possible à l'homme de retourner dans le ventre de sa mère pour renaître ou encore de vider l'océan –, vous pouvez 30 bien penser que ces deux lions enragés qui sont enchaînés de l'autre côté vous tueront, vous suceront tout le sang des veines, dévoreront votre chair et puis vous rongeront les os ! En vérité nous sommes déjà bien hardis d'oser simplement les regarder ! Sachez bien que si vous ne songez pas à vous, ils vous tueront ; 35 en un rien de temps, ils vous auront arraché tous les membres du corps et mis en pièces sans aucune pitié. Il en est encore temps : ayez pitié de vous et restez avec nous. Vous pêcheriez contre vous-même si volontairement vous vous jetiez dans un péril où votre mort est aussi certaine ! »

40 Celui-ci leur répondit alors en riant :

« Seigneurs, soyez remerciés de vous tourmenter à ce point pour moi. C'est votre amitié et votre générosité qui vous dictent

---

1. ***Billot*** : bloc de bois.
2. ***Effroi*** : grande frayeur qui glace.

vos paroles. Je sais que pour rien au monde vous ne voudriez mon malheur. Mais j'ai une telle foi en Dieu qu'il me préservera en tous lieux. Je ne redoute pas plus ce pont et cette eau que la terre ferme ; je veux me risquer à traverser et je vais m'y préparer. Mieux vaut mourir que faire demi-tour ! »

Ses compagnons ne savent plus que dire mais, l'un et l'autre, ils laissent libre cours à leurs soupirs et à leurs larmes. Lui s'apprête du mieux qu'il le peut à traverser le gouffre et, chose étonnante, il ôte de ses pieds et de ses mains l'armure qui les recouvre ! Il n'arrivera pas indemne[1] de l'autre côté ! Mais il s'est bien mieux tenu sur l'épée tranchante comme une faux[2], mains et pieds nus, que s'il avait gardé souliers, chausses[3] ou avant-pieds. Il ne s'inquiétait pas trop de se blesser les mains et les pieds car il préférait s'estropier plutôt que de tomber du pont et de prendre un bain forcé dans cette eau dont il n'aurait jamais réussi à se sortir. En souffrant le martyre qu'on lui avait préparé, il entreprend sa douloureuse traversée en se blessant les mains, les genoux et les pieds. Mais Amour qui le guide soigne ses coupures qui lui sont plus douces à supporter. En s'aidant des mains, des pieds et des genoux, il réussit enfin à parvenir à l'autre bout du pont. Alors il se rappelle les deux lions qu'il croyait y avoir vu lorsqu'il se trouvait sur l'autre rive ; il regarde attentivement : rien, pas même un lézard, pas la moindre bête dangereuse. Il lève la main à hauteur de ses yeux et regarde son anneau[4] : il a ainsi la preuve, quand il n'aperçoit plus aucun des deux lions qu'il pensait avoir vus, qu'il avait été victime d'un enchantement car il n'y avait là aucun être vivant.

---

1. ***Indemne*** : sain et sauf.
2. ***Faux*** : instrument tranchant destiné à couper les herbes hautes.
3. ***Chausses*** : voir note 1, p. 35.
4. Cet anneau magique de Lancelot, lui permettant de rompre les enchantements, lui a été donné par la fée Viviane (la Dame du Lac) qui l'a recueilli et élevé (voir p. 119). Il lui confère une force exceptionnelle.

■ Lancelot passant le pont de l'Épée. Enluminure d'un manuscrit en quatre volumes réalisé pour Jacques d'Armagnac, duc de Nemours, v. 1475.

Quand ils ont vu qu'il a réussi à traverser, ses compagnons, sur l'autre rive, acclament son exploit avec une joie débordante. Mais ils ignorent ce qu'il lui a coûté de douleur. Lui, cependant, s'estimait heureux de n'avoir pas plus souffert. Tandis qu'avec sa chemise, il étanchait le sang de ses plaies, il vit droit devant lui un donjon si imposant que jamais de sa vie il n'en avait vu d'aussi puissamment fortifié : on ne pouvait imaginer une tour plus impressionnante.

C'était là que le roi Baudemagus était venu s'accouder à une fenêtre. C'était un roi avisé qui avait un sens aigu de l'honneur et du bien. Il était attentif à respecter par-dessus tout la loyauté. Son fils lui tenait compagnie. Lui, par contre, s'efforçait constamment de faire le contraire car il n'aimait que la déloyauté et il n'était jamais lassé d'accumuler les vilenies [1], les trahisons et les cruautés.

De là où ils se trouvaient, ils avaient vu le chevalier traverser le pont en surmontant son intense souffrance. Méléagant en avait blêmi de rage car il savait que maintenant on allait lui disputer la reine. Pourtant il était si bon chevalier qu'il ne redoutait personne, quelle que fût sa force ou son courage. Il n'y aurait pas eu meilleur chevalier que lui s'il n'avait été aussi cruel et aussi déloyal. Il avait un cœur de pierre qui ne connaissait ni la douceur ni la pitié. Ce qui réjouissait le père attristait le fils. Or le roi savait très bien que celui qui avait passé le pont n'avait pas son pareil au monde car personne ne se fût risqué à traverser s'il y avait eu en lui la moindre lâcheté qui déshonore plus facilement ceux qu'elle domine que la bravoure [2] ne fait croître la renommée [3] des siens. Il en est ainsi : la bravoure et la vertu [4] ont moins d'attraits que la lâcheté et le vice car, n'en doutez pas, il est plus facile de faire le mal que le bien.

---

1. ***Vilenies*** : actions méprisables (voir « vil », note 2, p. 30).
2. ***Bravoure*** : courage.
3. ***Renommée*** : gloire, réputation.
4. ***Vertu*** : ensemble des valeurs qui constituent l'idéal humain (cœur, force, courage, honnêteté…).

Je pourrais vous parler longtemps de ces deux comportements si je voulais m'y attarder mais j'ai d'autres intentions et je reviens
100 à mon récit. Écoutez donc en quels termes le roi essaya d'endoctriner [1] son fils :

« Fils, lui dit-il, c'est par pur hasard que nous sommes venus nous accouder à cette fenêtre, pourtant nous en avons retiré le bénéfice de voir sous nos yeux s'accomplir le plus grand exploit
105 qu'on ait jamais pu imaginer. Allons, dis-moi si tu refuses ton admiration à l'auteur de cette extraordinaire prouesse [2] ? Si tu m'en crois, fais la paix avec lui et rends-lui la reine sans condition. Tu ne gagneras rien à te quereller avec lui ; bien au contraire tu pourrais y perdre beaucoup. Fais-toi considérer comme un
110 homme sage et courtois ; envoie-lui la reine avant même de le rencontrer. Honore-le dans ta terre en lui donnant avant même qu'il ne te l'ait demandé ce qu'il est venu y chercher. Tu le sais bien : ce qu'il veut c'est la reine Guenièvre. Évite qu'on te juge obstiné, insensé ou orgueilleux. Puisqu'il est venu seul dans ton
115 pays, tu dois lui offrir ta compagnie car le prud'homme [3] doit attirer le prud'homme et lui témoigner des marques d'honneur et d'estime et non pas le tenir à l'écart ; on s'honore soi-même en honorant autrui. Et sache bien que si tu rends honneur et service à celui qui est sans conteste le meilleur chevalier du monde,
120 l'honneur en rejaillira sur toi.

– Je veux bien que Dieu me confonde [4] s'il n'y en a pas d'aussi bon et même de meilleur ! » répliqua Méléagant.

Son père avait fait une erreur en ne le mentionnant pas car lui ne se jugeait pas de moindre valeur. Et il enchaîna :

---

1. ***Endoctriner*** : chercher à amener quelqu'un à un certain point de vue, le persuader.

2. ***Prouesse*** : acte de courage, d'héroïsme ; exploit.

3. Ce terme (composé de « preux » – « vaillant » –, « de » et « homme ») désigne d'abord un homme vaillant au combat puis un homme bon. Au XIIe siècle, il se rapporte à l'idée de courtoisie.

4. ***Me confonde*** : me punisse, m'anéantisse.

125 «Vous voulez peut-être que je devienne son vassal, mains jointes et pieds joints, et que je tienne ma terre de lui ? J'en prends Dieu à témoin, je préférerais être contraint de devenir son vassal plutôt que de lui rendre la reine ! Jamais je ne la rendrai de mon plein gré ; je la disputerai plutôt les armes à la 6
130 main à quiconque sera assez fou pour oser venir la chercher !

– Fils, reprit le roi, tu ferais preuve de courtoisie en renonçant à cet entêtement. Je te conseille vivement d'opter pour la paix. Tu sais bien que ce chevalier sera tout désemparé s'il n'a pas à t'arracher la reine les armes à la main. Il est en effet préférable
135 pour lui de l'obtenir par un combat plutôt que par générosité : sa renommée en sera plus grande. D'après moi, il ne tient pas à ce qu'on la lui remette sans contestation ; ce qu'il veut c'est te l'arracher en combattant. Aussi agirais-tu astucieusement en lui ravissant le bénéfice d'un combat[1]. Cela me chagrine de te voir te
140 comporter aussi bêtement. Mais si tu dédaignes mon conseil, j'en serai d'autant moins affecté si tu t'en mords les doigts. Il pourrait d'ailleurs en résulter pour toi un grand malheur car ce chevalier n'aura personne à redouter, excepté toi. En ce qui me concerne, et j'y engagerai tous mes hommes, je lui accorde une totale sau-
145 vegarde. Jamais je n'ai commis la moindre déloyauté, la moindre trahison ou la moindre bassesse et ce n'est pas maintenant que j'en commettrai une dans ton intérêt ou dans celui d'autrui. Je ne vais pas te bercer d'illusions : puisqu'il a accompli l'exploit de parvenir jusqu'ici, je m'engage à ne rien refuser à ce chevalier de
150 tout ce dont il pourra avoir besoin, armes et cheval. Il sera protégé à l'encontre de quiconque, excepté évidemment de toi. Et je vais te dire une dernière chose : s'il peut te tenir tête, il n'aura personne d'autre à redouter.

– Pour l'instant, j'ai tout loisir de vous écouter en silence, fait
155 Méléagant. Vous pouvez donc dire tout ce que vous voulez mais

1. ***En lui ravissant le bénéfice d'un combat*** : en lui ôtant la gloire qu'il pourrait avoir à combattre et à remporter le combat.

votre discours me laisse indifférent. Je n'ai pas l'âme d'un ermite[1] ou d'un moraliste[2] et je n'ai pas assez grand cœur ni assez de vertu pour lui donner celle que j'aime plus que tout. Il n'arrivera pas aussi facilement et aussi rapidement à ses fins que vous et lui 160 le croyez. Bien au contraire ! Même si vous lui prêtez assistance contre moi, je ne m'inclinerai pas pour autant. Que m'importe que vous et vos gens lui accordiez votre sauvegarde ! Je ne manquerai pas de courage pour si peu ; au contraire, Dieu m'en soit témoin, je suis assez satisfait d'être le seul à m'occuper de lui ! 165 Non, je ne vous demande pas de faire pour moi quoi que ce soit qui puisse être interprété comme une déloyauté ou une trahison. Restez aussi droit qu'il vous plaira de l'être et laissez-moi ma cruauté.

– Comment ? Tu ne veux pas m'écouter ?

170 – Non.

– Alors je ne dirai rien de plus. Maintenant fais ce que tu veux ; je te quitte et je vais parler à ce chevalier. Je veux lui offrir mon aide et mes conseils et ce, sans réserve, car dès maintenant je prends son parti. »

175 Le roi descendit alors dans la cour et fit seller son cheval. On lui amena un grand destrier ; il mit le pied à l'étrier, monta en selle et s'éloigna accompagné d'une escorte réduite à trois chevaliers et deux hommes d'armes.

7. Premier combat contre Méléagant

Sans perdre un instant, le roi et ses hommes descendirent vers le pont où ils trouvèrent le chevalier toujours occupé à étancher le sang de ses plaies. Le roi pensait pouvoir lui offrir l'hospitalité

1. ***Ermite*** : religieux retiré dans un lieu désert.
2. ***Moraliste*** : personne qui, par son exemple, donne des leçons de morale.

assez longtemps pour que ses blessures se guérissent mais c'était
5 là chose aussi invraisemblable que de vouloir assécher la mer ! Le roi mit rapidement pied à terre et le blessé se redressa à son approche, non pas parce qu'il le reconnaissait mais bien plutôt pour déguiser les blessures de ses pieds et de ses mains et paraître indemne[1]. Le roi ne fut pas dupe de l'effort qu'il accomplissait
10 sur lui-même ; il courut le saluer en disant :

« Sire, je suis très surpris que vous ayez fondu sur nous à l'improviste dans ce pays. Mais soyez le bienvenu car jamais personne n'osera se lancer après vous dans une pareille entreprise. Jamais personne n'a eu et n'aura assez d'audace pour affronter un
15 tel danger. Sachez que je vous estime d'autant plus pour avoir ainsi accompli ce que personne n'aurait même imaginé pouvoir tenter. Vous pouvez compter sur ma loyauté, ma générosité et mon dévouement[2] sincère. Je suis le roi de ce pays et je vous offre sans la moindre hésitation toute mon aide et mes conseils. Et je
20 crois deviner quel est l'objet de votre quête : c'est la reine, je pense, que vous êtes venu chercher.

– Sire, vous avez vu juste ; je ne suis pas venu pour autre chose.

– Ami, il vous faudrait endurer de dures souffrances avant de
25 parvenir à vos fins et vous êtes déjà cruellement blessé : je vois le sang qui coule de vos plaies. Ne vous attendez pas à beaucoup de loyauté de la part de celui qui l'a amenée ici : il ne vous la rendra pas sans combat. Vous devriez vous reposer et faire soigner vos blessures jusqu'à ce qu'elles soient guéries. Si l'on peut
30 en trouver, je vous donnerai du baume aux trois Maries[3] et du meilleur qui soit car je désire vivement vous voir rétabli et en

---

1. ***Indemne*** : voir note 1, p. 59.
2. ***Dévouement*** : disposition à servir.
3. ***Baume aux trois Maries*** : onguent, pommade à base de plantes, aux vertus thérapeutiques miraculeuses. Ce baume aurait été composé à l'origine par Marie-Madeleine, Marie, mère de Jacques, et Marie Salomé pour embaumer le corps du Christ (Nouveau Testament, évangile de Marc, 16, 1).

pleine possession de vos moyens. La reine est bien protégée car nul homme ne peut abuser d'elle, pas même mon fils qui l'a amenée ici avec lui et Dieu sait que cela l'irrite profondément ! Personne n'a jamais été ulcéré au point où il l'est à cause de cela. Mais moi j'éprouve une grande inclination[1] envers vous et, Dieu m'en sache gré, je vous donnerai avec plaisir tout ce dont vous avez besoin. Si bien armé que soit mon fils, je vous donnerai, dût-il m'en vouloir, d'aussi bonnes armes que les siennes et le cheval qu'il vous faut. Et, dût-on s'en chagriner, je vous prends sous ma protection envers et contre tous : vous n'aurez rien à redouter de personne excepté de celui qui amena la reine ici. Jamais homme n'a été autant rabroué[2] que lui par moi et peu s'en est fallu que je ne le chasse de ma terre, exaspéré de ce qu'il refuse de vous la rendre. Pourtant il est mon fils. Mais ne vous en souciez pas. S'il ne réussit pas à vous vaincre en combat loyal, jamais, quoi qu'il m'en coûte, il ne pourra vous causer le plus petit dommage.

– Sire, répondit le chevalier de la charrette, je vous en sais grand gré. Mais je perds trop mon temps ici et je ne tiens pas à le gaspiller. Je ne souffre de rien et ne me sens gêné par aucune blessure. Conduisez-moi jusqu'à lui car armé comme je le suis, je suis prêt à me soulager sur l'heure en l'affrontant.

– Ami, il vaudrait mieux pour vous attendre quinze jours ou trois semaines, jusqu'à ce que vos plaies soient guéries. Un repos vous serait profitable, au moins quinze jours, car je ne pourrais pas supporter de vous voir combattre dans cet équipement[3] et dans cet état.

– Si cela ne vous avait pas déplu, je n'aurais pas eu besoin d'autres armes ; je me serais volontiers battu avec celles-ci sans

---

1. ***Inclination*** : affection, sympathie.
2. ***Rabroué*** : voir note 6, p. 37.
3. ***Dans cet équipement*** : armé comme vous l'êtes ; l'équipement d'un chevalier est l'ensemble des éléments qui lui sont nécessaires pour combattre.

demander un seul instant de répit. Cependant, pour vous être agréable, je vais prendre sur moi d'attendre jusqu'à demain, mais il sera inutile d'insister davantage car je n'attendrai pas un moment de plus. »

65 Le roi lui a alors promis de respecter sa volonté puis il le fait conduire à son château en ordonnant à ses gens de se mettre à son entière disposition, ce qu'ils font sans la moindre réserve. Après quoi, en homme désireux, s'il le pouvait, de faire régner la paix, il alla de nouveau trouver son fils et s'adressa à lui pour lui faire part 70 de son souci de conciliation [1] :

« Cher fils, fais la paix avec ce chevalier sans combattre ; il n'est pas venu là pour prendre du bon temps, pour tirer à l'arc ou pour chasser dans la forêt mais pour accroître sa valeur et sa renommée. Il aurait pourtant eu grand besoin de se reposer ainsi que j'ai pu le 75 constater. S'il m'avait écouté, il n'aurait pas, avant un mois ou deux, montré autant d'impatience à livrer ce combat auquel il aspire déjà plus que tout. Crains-tu donc d'être déshonoré en lui rendant la reine ? N'en aie pas peur : tu ne pourrais en être blâmé alors qu'inversement on doit considérer comme un péché le fait de 80 vouloir garder contre toute raison une chose sur laquelle on n'a aucun droit. Il t'aurait volontiers affronté sur-le-champ et pourtant il n'a ni une main ni un pied qui ne soit profondément tailladé et en sang.

– Vous vous tourmentez en dépit du bon sens ! répondit 85 Méléagant à son père. Par la foi que je dois à saint Pierre [2], jamais je ne vous écouterai en cette affaire. Certes, je veux bien être écartelé si je prête attention à vos propos ! S'il recherche sa gloire, moi je songe à la mienne et s'il veut accroître sa renommée, c'est aussi mon principal souci : s'il veut se battre, eh bien je le désire 90 encore cent fois plus que lui !

---

1. ***Conciliation*** : accord, entente, réconciliation.
2. ***Saint Pierre*** : premier des douze apôtres de Jésus.

– Je vois bien que tu persistes dans ta folie, fait le roi. Eh bien, tu en auras le juste salaire [1] ! Demain, puisque tu le veux, tu pourras te mesurer au chevalier.

– Puissé-je ne jamais être plus affligé que par cette annonce ! rétorque Méléagant. J'aurais d'ailleurs préféré que cette confrontation ait lieu aujourd'hui plutôt que demain. Regardez comme je m'en tracasse maintenant beaucoup plus que par le passé : j'en ai les yeux embués et le visage tout pâle ! Jamais, jusqu'à l'heure du combat, je n'aurai un seul instant de joie et de bien-être et rien ne pourra me dérider [2]. »

Le roi se rend bien compte que ses conseils et ses prières ne servent à rien. Il abandonne son fils à contrecœur, va choisir un solide cheval et des armes magnifiques et les envoie à celui qui saura en faire bon usage. Il y avait dans le château un vieil homme, bon chrétien, qui n'avait pas son égal en loyauté et qui savait guérir les plaies mieux que tous les médecins de Montpellier. Pendant la nuit, il soigna le chevalier aussi bien qu'il le put car le roi le lui avait demandé.

Déjà la nouvelle s'était répandue auprès des chevaliers, des dames et des demoiselles et de tous les seigneurs de la contrée. Aussi, sujets du royaume et étrangers qui habitaient à moins d'une journée de là accoururent-ils. Tous chevauchèrent impatiemment toute la nuit jusqu'au lever du jour. À l'aube, il y avait une si grande foule au pied du donjon et si dense qu'on ne pouvait s'y retourner. Le roi, que ce combat tourmentait beaucoup, se leva de bon matin et vint une dernière fois trouver son fils qui avait déjà lacé sur sa tête un heaume de Poitiers.

Il lui fut impossible d'obtenir un répit et encore moins d'imposer la paix ; pourtant ce ne fut pas faute de l'avoir demandé mais son fils ne voulut rien savoir. Le combat aura donc lieu au pied du donjon, au milieu de la place où se sont rassemblés les spectateurs,

1. ***Salaire*** : voir note 1, p. 22.
2. ***Dérider*** : égayer, réjouir.

ainsi qu'en a décidé le roi. Sans plus attendre, le roi envoya chercher le chevalier étranger que l'on conduisit sur la place envahie par tous les gens du royaume de Logres. De la même manière que
125 les fidèles qui ont l'habitude d'aller à l'église écouter les orgues lors de chaque grande fête annuelle, à la Pentecôte [1] et à Noël, tous sans exception s'étaient rassemblés là. Pendant trois jours, toutes les demoiselles en exil, nées au royaume du roi Arthur, avaient jeûné, marché pieds nus et porté la haire [2] pour que Dieu accorde force et
130 courage au chevalier qui devait se battre pour leur délivrance. De leur côté, tous ceux du pays priaient pour leur seigneur et pour que Dieu lui accorde l'honneur de remporter la victoire. De bon matin, bien avant l'heure du premier office [3], on avait conduit sur la place les deux combattants armés de pied en cap et montés sur des
135 chevaux bardés de fer [4]. Méléagant avait belle prestance [5] : il était bien proportionné et son haubert [6] à petites mailles, son heaume et son écu pendu à son cou lui allaient à ravir.

Mais tous étaient subjugués par son adversaire, même ceux qui souhaitaient sa défaite ; tous disaient qu'auprès de lui, Méléagant
140 ne se remarquait même plus. Dès qu'ils furent tous les deux sur les lieux du combat, le roi s'avança en essayant de refréner [7] leur ardeur et tenta une dernière fois de plaider en faveur de la paix mais il ne parvint pas à convaincre son fils.

« À tout le moins, leur dit-il, retenez vos chevaux jusqu'à ce
145 que je sois monté en haut du donjon. Ce ne sera pas une trop grande faveur que vous me ferez en m'accordant ce court répit. »

---

1. ***Pentecôte*** : fête chrétienne qui commémore la descente du Saint-Esprit sur les apôtres et qui se célèbre cinquante jours après Pâques.
2. ***Haire*** : grossière chemise en poil de chèvre ou en crin, portée à même la peau pour s'imposer une souffrance, laquelle a pour but le rachat de ses fautes.
3. ***Office*** : ici, prière.
4. ***Bardés de fer*** : recouverts d'une armure.
5. ***Prestance*** : allure.
6. ***Haubert*** : voir note 4, p. 41.
7. ***Refréner*** : retenir.

Alors il les quitta là et, en proie à une grande affliction, il se dirigea tout droit vers un lieu où il savait retrouver la reine qui, la nuit précédente, l'avait supplié de la placer en un endroit d'où elle 150 pourrait à loisir suivre tout le combat. Comme il avait accepté, il venait la chercher pour l'accompagner en personne car il voulait s'efforcer de l'honorer et de la servir. Il la plaça à une fenêtre et alla s'accouder à une autre fenêtre à sa droite. Ils étaient entourés d'un grand nombre de dames et de chevaliers d'expérience ainsi que de 155 demoiselles natives du pays. Mais il y avait là aussi beaucoup d'exilés absorbés dans leurs prières. Captifs et captives priaient tous pour leur défenseur car ils faisaient reposer sur Dieu et sur lui leur espérance d'être délivrés.

Sans plus tarder, les combattants font alors reculer les specta- 160 teurs ; d'un coup de coude, ils ramènent leur écu en avant et glissent leur bras dans les courroies de soutien. Ils éperonnent et se heurtent de leurs lances en plein milieu de leurs écus avec une telle violence qu'elles éclatent et volent en morceaux comme du petit bois. Dans le même élan, leurs destriers se sont rencontrés 165 front contre front, poitrail[1] contre poitrail ; leurs écus et leurs heaumes se sont entrechoqués avec un tel fracas qu'on eût cru entendre un éclat de tonnerre et il ne reste aucun poitrail, aucune sangle, aucun étrier, aucune rêne, aucune autre pièce de harnais qui ne se rompe ; même les arçons des selles, qui étaient pourtant 170 solides, sont mis en pièces. Les chevaliers n'ont pas eu à rougir d'avoir roulé à terre dès lors que leurs équipements les ont ainsi trahis. D'ailleurs tous les deux se relevèrent d'un bond et fondirent l'un sur l'autre sans proférer un seul mot, avec la férocité de deux sangliers. Sans une insulte ni une menace, ils s'assènent 175 de violents coups d'épée en ennemis habités par une haine mortelle. Souvent, dans leur ardeur, ils entament si profondément les heaumes et les cottes de mailles que le sang en gicle à la suite des éclats. Ils jettent toutes leurs forces dans la bataille, se malmènent

1. ***Poitrail*** : partie du harnais couvrant la poitrine du cheval.

et se meurtrissent sous la brutalité sauvage de leurs coups répétés. Pendant longtemps ils luttèrent d'égal à égal dans un violent corps à corps fait d'assauts successifs et personne ne put les départager en bien ou en mal. Mais il était fatal que celui qui avait traversé le pont sentît enfin la force abandonner ses mains blessées.

Ceux qui avaient remis leur sort entre ses mains en sont épouvantés car ils voient ses coups faiblir et ils craignent que sa situation n'empire. Il leur semble déjà qu'il a le dessous et que Méléagant l'emporte. Le bruit en court parmi eux.

Mais, aux fenêtres du donjon, une demoiselle très sensée se disait en son cœur que le chevalier ne s'était pas déterminé à ce combat pour sa seule gloire ni pour le menu peuple accouru sur les lieux : jamais sans doute il ne s'y serait engagé si ce n'était pas pour la reine. Elle pense donc que s'il la savait à la fenêtre où elle était en train de le regarder, il en reprendrait force et courage. Si elle avait connu son nom, elle lui aurait bien volontiers crié de regarder un peu autour de lui. Alors elle s'approcha de la reine et lui demanda :

« Dame, au nom de Dieu et dans votre intérêt et le nôtre, je vous supplie de me dire le nom de ce chevalier si vous le savez et cela à la seule fin de l'aider.

– Demoiselle, je ne vois dans votre demande aucune malveillance ni intention de nuire ; elle me paraît plutôt partir d'un bon sentiment. Ce chevalier, autant que je sache, s'appelle Lancelot du Lac.

– Dieu, comme j'en suis réjouie et rassurée ! » fait la demoiselle.

Alors, elle se pencha à la fenêtre et l'appela par son nom d'une voix si forte que toute la foule l'entendit :

« Lancelot ! retourne-toi et regarde quelle est la personne qui a les yeux rivés sur toi ! »

En entendant son nom, Lancelot fut prompt [1] à se retourner ; il fit volte-face et aperçut en haut, assise aux loges du donjon, celle qu'au monde il désirait le plus contempler. Dès l'instant où il la

1. ***Prompt*** : rapide.

■ Lancelot terrasse Méléagant sous les yeux de la reine Guenièvre. Miniature du XVe siècle.

vit, il ne put en détacher son regard et se défendit par-derrière. Méléagant put ainsi pousser son avantage en exultant[1] à la pensée que désormais son adversaire ne pouvait plus lui résister. Les habitants du pays s'en réjouissaient et les exilés en étaient si
215 affectés que beaucoup d'entre eux ne pouvaient s'empêcher, dans leur accablement, de tomber à genoux ou de tout leur long sur le sol. Ainsi les cris de joie se mêlaient aux lamentations. Alors, de sa fenêtre, la demoiselle cria de nouveau :

« Ah ! Lancelot, quelle est la cause de ton comportement
220 insensé ? Tu étais jadis considéré comme le parangon[2] de toutes les vertus et de la bravoure chevaleresque et je ne pense pas que Dieu ait jamais créé un chevalier qui puisse comparer sa valeur et sa renommée à la tienne ! Pourtant nous te voyons maintenant si égaré que tu frappes au hasard derrière toi et que tu combats le
225 dos tourné. Décale-toi de manière à te retourner en restant face à cette tour qui t'est si agréable à regarder. »

Lancelot juge alors son comportement lâche et honteux ; il s'en veut à mort d'avoir eu trop longtemps, il en est conscient, le dessous dans la bataille et il sait que toutes et tous s'en sont rendu
230 compte. Alors il se retourne, fait un demi-cercle et contraint Méléagant à se placer entre lui et le donjon, bien que ce dernier fasse tous ses efforts pour revenir à sa position première. Lancelot se rue sur lui et, à coups de bouclier appuyés de tout son corps, il le bouscule avec une telle violence dès qu'il fait mine de vouloir se
235 retourner que, par deux ou trois fois, il le fait chanceler[3] et le malmène sans ménagement. Sa force et son audace lui reviennent car Amour l'aide beaucoup ainsi que le fait de n'avoir jamais haï quelqu'un autant que celui qui se bat contre lui. Amour et une haine mortelle, que jamais auparavant il n'avait ressentie aussi
240 violente en son cœur, le rendent si décidé et si terrible que

1. ***En exultant*** : voir note 1, p. 56.
2. ***Parangon*** : modèle.
3. ***Chanceler*** : pencher de côté et d'autre en menaçant de tomber.

Méléagant ne prend plus ses attaques pour un jeu mais en éprouve une grande crainte car jamais il n'avait connu ni rencontré un chevalier aussi hardi et jamais aucun ne l'avait autant malmené et ne lui avait causé autant d'ennuis que celui-ci. C'est volontiers 245 qu'il recule devant lui, cherche à lui échapper et se replie car il déteste ses coups et tente de les éviter. Lancelot ne profère pas la moindre menace mais, en continuant de frapper, il repousse son adversaire vers la tour à la fenêtre de laquelle était appuyée la reine. Pour elle, il a ainsi par plusieurs fois accompli son devoir de 250 vassal en faisant reculer son adversaire si près du pied de la tour qu'il lui fallait s'arrêter là car, s'il s'était avancé d'un pas de plus, il aurait perdu de vue celle qu'il tenait à garder devant ses yeux. Ainsi Lancelot faisait-il reculer et avancer son adversaire et le menait-il ici et là à son gré pour s'arrêter invariablement devant les yeux de sa 255 dame la reine. Elle avait allumé dans son cœur une flamme attisée par les regards qu'il lui lançait qui avivait son ardeur contre Méléagant à tel point qu'il pouvait le pourchasser et le faire aller là où il lui plaisait. L'autre était promené à son corps défendant [1], comme un aveugle ou un homme à jambe de bois.

260 Le roi voit que son fils est épuisé au point de ne plus se défendre ; il en a le cœur serré et prend pitié de lui. S'il le peut, il tentera de porter remède à cette situation ; mais pour arriver à ses fins, il lui faut adresser une prière à la reine. Aussi commence-t-il à lui dire :

« Dame, je vous ai toujours respectée, honorée et servie 265 depuis que votre sort dépend de moi. Chaque fois que j'ai pu faire quelque chose pour vous, je l'ai fait volontiers pour préserver votre honneur. Le moment est venu pour vous de m'en récompenser. Ce que je veux vous demander, vous ne devriez pas me l'accorder si ce n'est par pure amitié : je vois bien 270 que mon fils est sans conteste le perdant de ce combat singulier. Mais ce n'est pas parce que j'en suis chagriné que je vous adresse cette prière ; je désire seulement que Lancelot, qui peut disposer

1. ***À son corps défendant*** : à contrecœur, malgré lui.

de sa vie, ne le tue pas. Vous-même ne devez pas vouloir sa mort, non qu'il ne l'ait bien méritée pour vous avoir nui à tous les 275 deux, mais pour moi. Faites-lui grâce et dites à Lancelot, je vous en prie, qu'il se retienne de lui porter le coup fatal. Ainsi, si vous le voulez bien, vous pourriez payer mes services de retour.

– Beau sire, puisque vous m'en priez, j'y consens volontiers, fit la reine. Même si j'éprouvais une haine mortelle pour votre fils que 280 je n'aime guère, vous m'avez si bien rendu service que, pour vous en savoir gré, je veux bien que Lancelot l'épargne. »

Ces derniers mots ne furent pas prononcés à voix basse et Lancelot et Méléagant les entendirent. Celui qui aime est prompt à obéir et il accomplit sur l'heure de bon gré ce qui doit plaire à 285 l'amie dont il est totalement épris. C'est ce que dut faire Lancelot qui aima bien plus que Pyrame[1], si toutefois il fut possible à un homme d'aimer plus. Lancelot avait entendu la réponse de la reine. Ses derniers mots n'étaient pas plus tôt sortis de sa bouche, ces derniers mots qui étaient : « Puisque vous désirez que Lancelot 290 l'épargne, j'y consens », que Lancelot n'aurait pour rien au monde touché à un seul cheveu de son adversaire ni fait le moindre geste, au risque même d'y laisser la vie. Il arrête donc ses coups et demeure immobile. Et Méléagant, devenu fou de honte et de rage en entendant qu'il est dominé au point qu'il faille intercéder en sa 295 faveur[2], en profite pour le frapper autant qu'il le peut. Pour le ramener à la raison, le roi descend du donjon, s'avance sur le lieu du combat et l'apostrophe[3] en ces termes :

« Comment ? Est-il convenable que tu le frappes alors qu'il ne te porte plus aucun coup ? Tu es par trop cruel et orgueilleux et ta 300 bravoure se manifeste bien à contretemps ! Tous ici nous savons sans l'ombre d'un doute qu'il l'a emporté sur toi. »

---

1. Le poète latin Ovide raconte l'histoire tragique des amours de Pyrame et Thisbé dans *Les Métamorphoses* (IV, v. 55).

2. ***Intercéder en sa faveur*** : intervenir en sa faveur.

3. ***Apostrophe*** : interpelle.

Méléagant, que sa honte égarait, lui répliqua :

« Êtes-vous devenu aveugle ? Par ma foi, je pense que vous ne voyez rien. Car il faut être aveugle pour douter de ma victoire !

305 – Eh bien, fit le roi, demande donc qui est de ton avis ! Car tous ces gens qui sont là savent bien si tu dis vrai ou si tu mens. Nous savons fort bien où est la vérité. »

Le roi ordonna alors à ses barons de faire reculer son fils et ceux-ci lui obéirent sur l'heure : Méléagant fut maîtrisé. Quant à 310 Lancelot, il n'aurait pas fallu déployer de grands efforts pour le retenir car son adversaire aurait pu le maltraiter beaucoup avant qu'il se décidât à le toucher ! Puis le roi dit à son fils :

« Dieu m'en soit témoin, il te faut maintenant faire la paix et rendre la reine. Il te faut aussi renoncer à cette ancienne querelle 315 et la déclarer close.

– Vous dites des balivernes [1] ! Vous me cassez la tête pour rien ! Partez d'ici ; laissez-nous combattre et ne vous en mêlez pas ! »

Le roi lui répliqua qu'il s'en mêlerait quand même parce qu'il savait bien que s'il les laissait combattre, Lancelot le tuerait.

320 « Il me tuerait ! C'est plutôt moi qui n'en ferais qu'une bouchée et le réduirais à ma merci si vous ne veniez pas nous ennuyer et si vous nous laissiez combattre !

– Dieu m'entende ! fit le roi. Tout ce que tu peux dire ne changera rien.

325 – Pourquoi ?

– Parce que je ne le veux pas. Je n'écouterai pas ton orgueil et ta folie pour t'abandonner à une mort certaine. Il faut être fou pour souhaiter sa mort comme tu le fais sans le savoir. Pourtant je sais fort bien que tu me hais de vouloir te préserver. Mais Dieu, 330 je l'espère, ne me laissera pas assister à ta mort car j'en aurais une trop grande douleur. »

À force de lui en dire et de le raisonner, il est parvenu à lui imposer la paix et la conclusion d'un accord. Cet accord stipule

1. ***Balivernes*** : propos futiles et creux, sornettes.

que Méléagant rend la reine à Lancelot à la condition qu'au bout 335 d'un an, sans plus de délai, à compter du jour où il en aura été sommé[1] et quelle qu'en soit l'heure, Lancelot se battra à nouveau contre lui. Ce qui n'est pas pour déplaire à Lancelot ! Toute la population présente se rallie à ces conditions et l'on décide que le combat se déroulera à la cour du roi Arthur, seigneur de 340 Bretagne et de Cornouaille. Le lieu est ainsi fixé mais encore faut-il que la reine accepte et que Lancelot garantisse que si Méléagant le réduit à sa merci, elle repartira avec son ravisseur sans que personne ne la retienne. La reine s'y engage et Lancelot y consent. L'accord entre les deux ennemis ainsi conclu, on les 345 sépare et on les désarme.

8. La froideur de Guenièvre

La coutume était telle dans le pays que dès qu'un captif en partait, tous les autres pouvaient le quitter. Tous bénissaient donc Lancelot et vous pouvez bien vous douter que chacun laissa libre cours à sa joie : ce fut effectivement l'allégresse[2] générale. Tous 5 les exilés qui se réjouissaient de la victoire de Lancelot lui disaient en chœur pour qu'il l'entende bien :

« Sire, c'est vrai, dès que nous avons entendu votre nom, nous avons bondi de joie car dès lors nous étions certains que nous serions tous délivrés. »

10 L'allégresse générale n'allait pas sans une grande bousculade car chacun s'efforçait de venir toucher le héros du jour. Celui qui pouvait le mieux s'en approcher en était plus heureux qu'il n'est possible de le dire. Si la joie éclatait là, la tristesse y avait aussi sa place car si les captifs libérés se laissaient aller à leur bonheur,

---

1. ***Sommé*** : averti.
2. ***Allégresse*** : joie immense.

15 Méléagant et les siens, qui avaient vu s'envoler leurs espérances, faisaient grise mine et restaient prostrés[1] dans leur abattement. Le roi quitta alors le lieu du combat non sans oublier d'emmener Lancelot avec lui, lequel le pria de le conduire auprès de la reine.

« Je ne prétends pas m'y opposer, répondit le roi, car il me 20 semble que c'est une requête légitime. Et si vous le voulez, je vous conduirai aussi auprès du sénéchal[2] Keu. »

Lancelot en éprouva un si grand bonheur que peu s'en fallut qu'il ne se jetât à ses pieds. Le roi le conduisit donc dans la salle où la reine était venue l'attendre.

25 Quand la reine vit arriver le roi qui tenait Lancelot par la main, elle se leva à sa rencontre, prit un air courroucé[3], baissa la tête et ne dit pas un mot.

« Dame, fit le roi, voici Lancelot qui vient vous voir. Cela doit vous faire grand plaisir.

30 – À moi, sire ? Il n'y a aucune raison pour que cela me plaise ! Je n'ai que faire de sa visite.

– Que diable ! s'exclama le roi qui avait un cœur franc et généreux. Mais, Madame, d'où vous vient cette dureté ? Certes, vous êtes trop injuste envers un homme qui vous a si bien servie, 35 qui, en vous cherchant, a si souvent exposé sa vie à des dangers mortels, qui, enfin, vous a secourue et arrachée des mains de mon fils Méléagant, lequel ne vous a rendue que bien à contrecœur !

– Sire, je vous l'assure, il a perdu son temps car je ne cacherai pas que je ne lui en sais aucun gré. »

40 Lancelot en resta foudroyé mais, en parfait amant, il se contenta de lui demander doucement :

« Dame, ma peine est bien cruelle et pourtant je n'ose vous demander la raison de votre rigueur. »

---

1. ***Prostrés*** : très abattus, accablés, effondrés.
2. ***Sénéchal*** : grand officier royal.
3. ***Courroucé*** : irrité.

Si la reine avait daigné l'écouter, Lancelot se serait lamenté 45 plus longtemps mais, pour achever de le confondre [1], elle refusa de lui répondre un seul mot et regagna ses appartements. Le cœur en émoi [2], Lancelot la suivit des yeux jusqu'à la porte vers laquelle elle se dirigeait mais la distance à franchir lui parut bien courte car les appartements de la reine étaient tout à côté.

50 S'ils l'avaient pu, ses yeux l'auraient bien suivie jusqu'à l'intérieur. Mais si ses yeux, remplis de larmes, sont restés avec son corps en deçà de la porte, son cœur lui, grand seigneur tout-puissant, suivit la reine au-delà.

« Lancelot, lui dit alors le roi sur le ton de la confidence, je 55 suis stupéfait ; je ne comprends pas pourquoi la reine refuse de vous voir et de vous adresser la parole. Si elle avait coutume de s'entretenir avec vous, ce n'est pas aujourd'hui qu'elle devrait vous repousser et faire la sourde oreille à vos propos, surtout après ce que vous venez de faire pour elle ! Confiez-moi, si vous 60 le savez, pour quel motif, pour quel manquement [3] grave, elle a eu cette attitude envers vous.

– Sire, il y a un instant, je n'aurais même pas pu le prévoir ! Mais il est clair que ma présence l'indispose et que mes paroles la font fuir. Et j'en suis très affecté.

65 – Certes, fait le roi, elle a grand tort car vous avez risqué votre vie pour elle. Mais venez, bel ami, vous parlerez avec le sénéchal.

– Oui, allons-y. »

Tous les deux vinrent trouver le sénéchal. Mais quand Lancelot fut devant lui, les premiers mots de Keu furent pour lui dire :

70 « Tu m'as bien couvert de honte !

– Moi ? Et pourquoi ? Dites-le-moi : qu'ai-je fait pour vous couvrir de honte ?

---

1. ***Confondre*** : voir note 4, p. 62.
2. ***En émoi*** : agité, troublé.
3. ***Manquement*** : le fait de manquer à un devoir.

– Tu m'as déshonoré ! Tu as en effet réalisé l'exploit que je n'ai pu accomplir ; tu as réussi là où j'ai échoué. »

75 Le roi les laissa alors en tête à tête et quitta la chambre. Lancelot demanda au sénéchal s'il avait beaucoup souffert.

« Oui, répond celui-ci, et je souffre encore. Jamais je n'ai autant souffert de ma vie et il y a longtemps que je serais mort, n'eût été le roi[1] qui sort d'ici. Il a toujours compati à mon 80 malheur et a toujours fait preuve à mon égard de tant de douceur et d'amitié que pas une fois, à condition qu'il en fût informé, ne m'a manqué la moindre chose dont je pouvais avoir besoin. Dès qu'il le savait, on me la préparait sur l'heure. Mais pour tout bien qu'il me faisait, Méléagant, son fils, qui est rempli de cruauté, 85 faisait perfidement venir à lui les médecins et leur ordonnait de mettre sur mes plaies des onguents[2] destinés à me tuer. J'avais ainsi un père et un parâtre[3] : quand le roi, qui s'acharnait à vouloir ma guérison, faisait placer sur mes plaies un bon emplâtre[4], son fils traîtreusement le faisait vite enlever et rempla-90 cer par un onguent nocif[5] destiné à me faire mourir. Mais je suis certain que le roi ignorait tout cela : il n'aurait pas supporté une conduite aussi vile[6] et criminelle. De plus vous ne connaissez pas son attitude généreuse envers ma dame la reine : jamais, depuis le temps que Noé construisit l'Arche[7], donjon ne fut mieux 95 surveillé par un guetteur qu'elle ne le fut par lui car il ne la laissait même pas voir à son fils, qui en était fort affecté, sauf devant une

1. ***N'eût été le roi*** : s'il n'y avait eu le roi.
2. ***Onguents*** : baumes, pommades.
3. ***Parâtre*** : beau-père ou père méchant (l'équivalent au masculin de la « marâtre » que l'on rencontre dans certains contes comme *Cendrillon*).
4. ***Emplâtre*** : préparation appliquée sur la peau pour la soigner, cataplasme.
5. ***Nocif*** : dangereux, nuisible.
6. ***Vile*** : voir note 2, p. 30.
7. Allusion au passage de la Bible (Genèse, 6-9) qui évoque le bâtiment flottant dans lequel Noé, l'unique humain sauvé du Déluge, embarque avec lui toutes les races animales.

foule de gens ou en sa propre présence. Puisse ce noble roi en être remercié car il l'a toujours traitée en lui assurant tout le respect qu'elle pouvait souhaiter et il continue de le faire. Jamais 100 il n'eut d'autre arbitre qu'elle pour orienter sa propre conduite et il ne l'en estima que davantage quand il vit que son cœur était aussi loyal. Mais est-ce vrai ce qu'on m'a rapporté ? On m'a dit qu'elle est si courroucée[1] à votre égard que, devant tout le monde, elle a refusé de vous adresser un seul mot.

105 – On vous a dit la vérité, répliqua aussitôt Lancelot. Mais pour Dieu, sauriez-vous m'expliquer pourquoi elle me hait autant ? »

Keu lui répondit qu'il n'en savait rien mais qu'il en était fort surpris.

« Qu'il en soit donc selon sa volonté ! fit Lancelot qui ne pou-110 vait que se résigner. Il me faut maintenant prendre congé de vous car je vais partir à la recherche de monseigneur Gauvain qui est lui aussi entré dans ce pays et m'avait assuré qu'il se rendrait tout droit au Pont-sous-les-eaux. »

Là-dessus il sortit de la chambre et alla trouver le roi pour lui 115 demander la permission de partir à la recherche de Gauvain. Le roi la lui accorda volontiers mais tous ceux qu'il avait arrachés à leur captivité lui demandèrent ce qu'ils allaient faire.

« Viendront avec moi tous ceux qui le désirent, leur répondit-il, et ceux qui voudront tenir compagnie à la reine resteront près 120 d'elle car rien ne les oblige à m'accompagner. »

Avec lui partirent donc tous ceux qui en avaient exprimé le désir, plus heureux qu'ils ne l'avaient été depuis longtemps. Avec la reine sont restés les demoiselles, toutes joyeuses, et les dames ainsi que maints chevaliers. Mais il n'est pas un seul parmi eux 125 qui ne préférerait revenir dans son pays plutôt que de séjourner là plus longtemps. Cependant la reine les retint pour attendre l'arrivée de monseigneur Gauvain. Elle déclara qu'elle ne partirait pas avant d'avoir de ses nouvelles.

---

1. ***Courroucée*** : voir note 3, p. 78.

9. Fausses nouvelles, désespoir et réconciliation

En tous lieux s'est répandue la nouvelle que la reine est libre et tous les captifs avec elle et qu'ils pourront partir sans le moindre empêchement dès qu'il leur plaira de le faire. Chacun prie son voisin de lui en confirmer la vérité et quand les exilés se rassemblent, ils ne parlent pas d'autre chose. Et ils ne sont pas fâchés que soient détruits tous les postes destinés à leur interdire le libre passage. On va et on vient maintenant comme on le veut : quel changement avec ce qui existait auparavant ! Quand les habitants du pays qui n'avaient pas assisté au combat entre Méléagant et Lancelot apprirent comment celui-ci l'avait remporté, ils se dirigèrent en masse vers l'endroit où ils savaient qu'il devait se rendre en pensant faire plaisir au roi s'ils le lui amenaient pieds et poings liés. Or Lancelot et ses compagnons n'avaient pas d'armes. Aussi furent-ils d'autant plus méprisés que ceux du pays arrivaient armés. Qu'on ne s'étonne pas s'ils se sont facilement emparés d'un Lancelot désarmé qu'ils ont contraint à revenir en arrière les pieds liés sous son cheval. Les captifs avaient beau se plaindre :

« Seigneurs, vous agissez bien mal car c'est le roi qui nous a permis de venir et tous nous sommes sous sa sauvegarde.

– Nous l'ignorons, répliquaient leurs agresseurs, et comme vous êtes nos prisonniers, il vous faudra en tant que tels revenir jusqu'à la cour ! »

Très vite, la rumeur que ses sujets se sont saisis de Lancelot et l'ont tué parvient aux oreilles du roi. Il en est très affecté et jure sur sa tête et sur tout ce qu'il a de plus sacré que ceux qui l'ont tué subiront le même sort. S'il peut mettre la main sur eux, ils n'auront pas le loisir de se défendre d'un tel forfait : il les fera pendre, brûler ou noyer. Et s'ils ont l'impudence[1] de le nier, il ne se laissera pas fléchir car ils lui ont causé une trop vive douleur et une trop grande honte que d'ailleurs on lui reprocherait, à lui, s'il n'en prenait pas vengeance. Mais qu'on n'en doute pas, il se vengera.

La nouvelle fait le tour du palais ; elle est rapportée à la reine qui était assise à table. En entendant cette fausse rumeur qui circule au sujet de Lancelot, peu s'en faut qu'elle n'attente à sa vie[2] car elle la croit vraie. Elle est si troublée qu'elle a de la peine à prononcer un mot mais, pour tous ceux qui étaient là, elle se contraignit à dire à haute voix :

« Je suis très affectée par sa mort et je n'ai pas tort d'éprouver un tel chagrin car c'est pour moi qu'il est venu dans ce pays. C'est pourquoi j'ai de bonnes raisons d'en être attristée. »

Puis, tout bas, de peur d'être entendue, elle se dit à elle-même qu'il était désormais bien inutile de la prier de boire et de manger s'il était vrai que soit mort celui dont la vie ne faisait qu'un avec la sienne. En proie à une profonde affliction, elle quitte la table pour aller se lamenter loin des oreilles indiscrètes.

Elle est si résolue à mourir que plusieurs fois, de ses mains, elle se serre la gorge. Mais avant elle se confesse toute seule, se repent de ses fautes et bat sa coulpe[3] ; elle se blâme beaucoup et s'accuse sévèrement du péché qu'elle avait commis envers celui dont elle savait bien qu'il lui avait été entièrement attaché chaque jour de son existence et qu'il le serait encore s'il était toujours vivant. Elle souffre tant d'avoir été cruelle que sa beauté en est ternie. La pensée de son injuste cruauté passée jointe à sa veille et à son jeûne ont altéré et assombri son teint. Elle fait la somme de ses méchancetés et chacune repasse devant ses yeux. Elle n'en oublie aucune et s'en lamente :

---

1. ***Impudence*** : effronterie, insolence, culot.
2. ***Attente à sa vie*** : tente de se donner la mort.
3. ***Bat sa coulpe*** : s'avoue coupable.

« Hélas ! où avais-je donc la tête quand mon tendre ami s'est présenté devant moi et que je n'ai même pas daigné lui faire un bon accueil et l'écouter un instant ? N'ai-je pas agi comme une
60 folle en refusant de le regarder et de lui parler ? seulement comme une folle ? Dieu me le pardonne, ce fut bien plutôt de ma part une cruauté injuste et gratuite ! Dans mon esprit c'était un jeu mais lui ne l'a pas pris pour tel et il ne me l'a sans doute pas pardonné. À ma connaissance, c'est moi seule qui lui ai porté le coup mortel.
65 Quand il se présenta tout souriant devant moi en pensant que je l'accueillerais avec transport [1] et que j'aurais de la joie à le contempler, ne lui ai-je pas alors porté un coup mortel en refusant de le regarder ! Mon refus de lui dire un seul mot lui a, j'en suis sûre, percé le cœur et enlevé la vie. Ce sont ces deux coups qui l'ont tué
70 et non pas le lâche attentat de quelque mercenaire [2] ! Ah ! Dieu ! serai-je un jour suffisamment punie pour ce meurtre et ce péché ? Non, ce n'est pas possible ! La mer et tous les fleuves se seront asséchés bien avant ! Ah ! malheureuse que je suis ! Comme je serais soulagée et un peu réconfortée si, une fois au moins, avant
75 sa mort, j'avais pu le tenir entre mes bras ! Comment ? Oh ! oui ! certes, corps contre corps, sa peau contre la mienne pour mieux m'abandonner à lui. Puisqu'il est mort, je suis bien lâche de rester encore en vie. Mais la vie ne doit-elle pas m'être moins insupportable si en lui survivant je tire tout mon bonheur des tourments
80 que j'endure pour lui ? Si, après sa mort, je trouve là ma consolation, alors quel bonheur lui aurait causé, quand il était encore en vie, cette souffrance dans laquelle je me délecte [3] ! Elle est bien lâche celle qui préfère mourir plutôt que de souffrir à cause de son ami. Certes il m'est doux de supporter le plus longtemps possible

1. ***Avec transport*** : avec exaltation, avec enthousiasme.
2. ***Mercenaire*** : le substantif peut désigner une personne payée (du latin *mercenarius*, « payé », « loué », par opposition à *gratuitus*, « gratuit ») pour exercer un métier, d'où « soldat professionnel » ; par extension, se dit péjorativement d'un homme intéressé, facile à corrompre.
3. ***Dans laquelle je me délecte*** : dans laquelle je me complais.

ma douleur : je préfère vivre et souffrir la rigueur du destin que mourir pour trouver un repos éternel. »

Pendant deux jours, la reine resta prostrée[1] dans son affliction, sans boire ni manger, à tel point qu'on la crut morte. Il y a toujours quelqu'un pour porter une nouvelle et de préférence la mauvaise plutôt que la bonne. Le bruit de la mort de celle qui était sa dame et sa tendre amie parvint ainsi à Lancelot. Il en fut accablé de chagrin, n'en doutez pas. Tout le monde pouvait voir qu'il en était profondément affecté. Et, en vérité, si vous voulez le savoir, il fut si désespéré qu'il en éprouva un profond dégoût de la vie. Il voulait se suicider sans attendre une minute de plus, si ce n'est le temps d'exhaler[2] sa profonde douleur. Il fit un nœud coulant à l'un des bouts de la ceinture qu'il portait et, en pleurant, se dit en son cœur :

« Ah ! mort ! quel guet-apens[3] tu m'as dressé ! Je suis en pleine santé et tu me prives de toutes mes forces ! Je suis abattu et pourtant je ne ressens pas d'autre mal que cette cruelle douleur qui me glace le cœur. Cette douleur est terrible et même mortelle. Mais je l'accepte comme telle et si cela plaît à Dieu, j'en mourrai. Comment ? Ne pourrai-je mourir même si Dieu ne l'a pas décidé ? Si ! Je ne lui demanderai que de me laisser serrer ce nœud coulant autour de mon cou : ainsi je pense bien contraindre la mort à me prendre malgré elle. Cette mort qui n'a jamais voulu prendre que ceux qui ne se souciaient pas d'elle refuse de venir ! mais ma ceinture me la livrera prisonnière et dès qu'elle sera en mon pouvoir, il lui faudra bien faire à mon gré ! Oui ! mais, elle sera toujours trop lente à venir car je suis impatient de la rencontrer ! »

Alors il n'attend plus ; il passe la tête dans le nœud coulant et le serre autour de son cou. Pour être certain de s'étrangler, il attache l'autre bout de la ceinture à l'arçon de sa selle en ne laissant qu'une

1. ***Prostrée*** : voir note 1, p. 78.
2. ***Exhaler*** : exprimer, manifester.
3. ***Guet-apens*** : piège.

115 courte longueur, tout cela sans éveiller l'attention de personne. Puis il se laisse choir[1] à terre. Il voulait se laisser traîner par son cheval jusqu'à l'étranglement, sans vivre une seule heure de plus. Quand ceux qui chevauchaient près de lui le voient tomber à terre, ils pensent qu'il s'est évanoui car aucun d'entre eux n'a remarqué 120 le nœud coulant qu'il avait serré autour de son cou.

Vite ils le relèvent entre leurs bras et aperçoivent alors la ceinture qu'en ennemi de lui-même il avait passée à son cou. Ils la tranchent sans tarder. Mais elle avait bien rempli son office en lui meurtrissant brutalement la gorge et il resta longtemps sans pou-125 voir parler. Il s'en était fallu de peu que toutes les veines de son cou ne se soient rompues. Dès lors, même s'il l'avait vivement souhaité, il ne pouvait plus se faire le moindre mal. Mais il était très contrarié qu'on le surveille. Peu s'en fallut même qu'il n'en meure de chagrin car il se serait volontiers tué si l'on n'avait pas 130 veillé à l'en empêcher. Voyant qu'il ne pouvait plus attenter à sa vie, il laissa éclater sa douleur :

pro «Ah ! mort ! mort infâme et perverse, n'avais-tu donc pas assez de pouvoir ou de générosité pour me prendre moi plutôt que ma dame ? Peut-être ne l'as-tu pas daigné par crainte de faire 135 une bonne action ? C'est par pure méchanceté que tu ne l'as pas fait car jamais on ne pourra le mettre au compte d'autre chose. Ah ! quelle délicate attention ! quelle marque insigne[2] de bonté ! Comme tu as bien su la placer avec discernement ! Maudit à jamais soit celui qui te sait gré d'un tel service ! Je ne sais laquelle 140 des deux me hait le plus, de la Vie qui tient à moi ou de la Mort qui ne veut pas me tuer. L'une et l'autre sont responsables de mon malheur. Mais, Dieu m'en soit témoin, j'ai bien mérité de rester en vie malgré moi car j'aurais dû me tuer dès l'instant même où ma dame, la reine, m'a montré qu'elle me haïssait car 145 elle ne l'a pas fait sans motif : au contraire, elle devait avoir une

---

1. *Choir* : tomber.
2. *Insigne* : remarquable, éclatante.

bonne raison, bien que j'ignore laquelle. Si j'avais pu la connaître avant que son âme retourne vers Dieu, j'aurais réparé ma faute envers elle avec autant d'éclat qu'elle aurait pu le souhaiter, à condition qu'elle m'accorde son pardon. Mon Dieu, quel peut
150 bien être le forfait que j'ai commis envers elle ? Je crois bien qu'elle a dû apprendre que je suis monté sur la charrette car je ne vois pas de quoi elle pourrait me blâmer sinon de cela. C'est ce qui m'a perdu. Mais si sa haine vient de là, mon Dieu, pourquoi ce forfait doit-il me nuire ? Pour me le reprocher, il faut
155 n'avoir jamais bien compris ce qu'est Amour. Car on ne peut dire qu'un acte suscité par Amour puisse être répréhensible[1]. Tout ce que l'on peut faire pour son amie n'est que témoignage d'amour et de courtoisie. Et n'est-ce pas pour mon amie que je suis monté sur la charrette ? Hélas ! je ne sais comment dire ; je
160 ne sais si je peux ou non employer le terme d'"amie" car je n'ose lui donner ce doux nom. Pourtant je crois être assez instruit dans l'art d'aimer pour penser qu'elle n'aurait pas dû me juger avili[2] à cause de cela si elle m'avait aimé ; bien au contraire elle aurait dû me reconnaître comme son tendre et sincère ami car il me sem-
165 blait louable de faire tout ce que commande Amour, y compris de monter sur la charrette. Elle aurait dû attribuer cela à Amour car c'en est une preuve irréfutable[3]. C'est ainsi qu'Amour met les siens à l'épreuve et les distingue. Mais ma dame n'a pas apprécié cet acte de dévouement : j'en ai bien eu la preuve à la manière
170 dont elle m'a accueilli ! Et pourtant c'est pour elle que celui qui se dit son ami a fait ce que beaucoup ont perçu comme une vilenie[4] et lui ont reproché. Oui, j'ai joué le jeu et n'en ai retiré que blâme et mon bonheur s'est mué[5] en amertume. Mais n'est-ce pas le fait

1. ***Répréhensible*** : blâmable, condamnable.
2. ***Avili*** : rendu vil, méprisable (voir « vil », note 2, p. 30).
3. ***Irréfutable*** : incontestable, indiscutable.
4. ***Vilenie*** : voir note 1, p. 61.
5. ***Mué*** : changé, transformé.

coutumier[1] de ceux qui ne savent rien d'Amour de plonger l'hon-
175 neur dans les eaux de la honte ? Et ce faisant, ils ne le rendent pas plus pur ; bien au contraire, ils le souillent. Ce sont des ignorants, ceux qui méprisent ainsi Amour et d'eux-mêmes ils s'écartent de lui en faisant fi[2] de ses commandements. Car, à coup sûr, on accroît son mérite en obéissant à ses ordres et tout
180 est alors pardonnable, alors que l'on déchoit en n'osant pas les suivre. »

C'est dans ces termes que Lancelot se lamentait. À ses côtés, ses compagnons qui le surveillaient et le retenaient en avaient le cœur serré. Mais, sur ces entrefaites, arrive la nouvelle que la
185 reine est toujours en vie. Aussitôt Lancelot reprend goût à la vie : si auparavant il avait manifesté une immense douleur en la croyant morte, sa joie de la savoir vivante fut bien cent mille fois plus grande. Quand ils ne furent plus qu'à six ou sept lieues[3] de la demeure où séjournait le roi Baudemagus, on l'informa que
190 Lancelot était vivant et approchait en parfaite santé. Cette nouvelle lui fit grand plaisir à entendre. En homme courtois, il alla la porter à la reine qui lui répondit :

« Beau sire, puisque vous me le dites, je veux bien vous croire. Mais je peux bien vous assurer que s'il était mort, je n'aurais plus
195 jamais éprouvé la moindre joie. Oui, dès lors qu'un chevalier aurait perdu la vie en se dévouant pour moi, tout bonheur me serait devenu étranger. »

Là-dessus le roi se retira. Il tardait à la reine de voir revenir ensemble son tendre ami et sa joie ; elle n'avait plus envie de lui
200 tenir la moindre rigueur. Mais des bruits, qui courent toujours sans jamais prendre un instant de repos, parviennent sur ces entrefaites aux oreilles de la reine : Lancelot, si on l'avait laissé faire, aurait,

---

1. ***Coutumier*** : habituel.
2. ***Faisant fi de*** : dédaignant, méprisant.
3. ***Six ou sept lieues*** : environ 26 km ; la lieue est une ancienne unité de mesure équivalant à environ 4 km.

pour elle, mis fin à ses jours. Elle en est heureuse et les croit volontiers mais elle n'aurait voulu pour rien au monde qu'il lui fût arrivé 205 quelque chose de trop grave.

Pendant ce temps, Lancelot, qui avait fait hâter le train[1], arrivait. Dès que le roi l'aperçoit, il court lui donner l'accolade ; il lui semble avoir des ailes tant sa joie le porte. Mais la vue de ceux qui avaient arrêté Lancelot et l'avaient lié sur son cheval la lui fait 210 tourner court : c'est pour leur malheur, leur crie-t-il, qu'ils sont venus jusque-là car leur mort est imminente[2] ! Pour se disculper[3] ils prétendent avoir cru agir selon son vœu.

« Si votre exploit vous a plu, à moi il me déplaît fort, répond le roi. Et ce n'est pas Lancelot qui est en cause ; ce n'est pas envers 215 lui que vous avez méfait mais envers moi qui l'avais pris sous ma protection. Quoi qu'il en soit la honte en est pour moi et vous n'en rirez pas quand vous sortirez de mes mains ! »

Quand Lancelot le voit se mettre dans une telle colère, il essaie de son mieux de le calmer et il réussit à y parvenir. Le roi l'em- 220 mena alors voir la reine. Mais cette fois, elle ne baissa pas les yeux ; elle vint l'accueillir sans dissimuler sa joie, le combla d'attentions et le fit asseoir près d'elle. Ils purent alors parler à loisir de tout ce qui leur faisait plaisir ; et la matière ne leur manquait pas car Amour leur en fournissait assez. Quand Lancelot voit que 225 ses propos charment sa dame et que le moment semble propice, il lui demande alors tout bas :

« Dame, je m'étonne encore de ce qu'en me voyant l'autre jour vous m'ayez montré un tel visage et que vous ayez refusé de me dire un seul mot. Vous avez bien failli m'en faire mourir et 230 pourtant je n'ai pas eu alors assez de courage pour oser vous en demander la raison comme je le fais maintenant. Dame, je suis

1. ***Train*** : marche, allure.
2. ***Imminente*** : proche.
3. ***Se disculper*** : se justifier, s'excuser.

tout prêt à réparer mes torts mais révélez-moi la nature du forfait qui m'a conduit au désespoir. »

La reine lui répond :

235 « Comment ? N'avez-vous pas eu honte de la charrette et ne l'avez-vous pas redoutée ? Vous y êtes monté de bien mauvaise grâce puisque vous avez attendu deux pas ! C'est là la seule raison pour laquelle j'ai refusé de vous adresser la parole et de vous regarder.

240 – Dieu me préserve une autre fois d'un tel méfait ! fait Lancelot. Et qu'il n'ait jamais pitié de moi si vous n'avez ainsi très justement agi. Mais pour Dieu, ma dame, je veux sur l'heure vous faire réparation de ce péché et dites-moi, je vous en prie, si vous accepterez de me le pardonner un jour.

245 – Ami, fait la reine, soyez-en totalement absous[1] : je vous le pardonne de grand cœur.

– Grâces vous en soient rendues, Madame. Mais il ne m'est pas possible de vous parler ici comme je le voudrais. Et je serais heureux de pouvoir vous parler plus librement, si cela se pouvait. »

250 La reine lui montre alors une fenêtre du coin de l'œil pour éviter de la désigner du doigt, en lui disant :

« Venez me parler à cette fenêtre, cette nuit, quand tout le monde sera endormi. Vous passerez par ce verger. Vous ne pourrez entrer céans[2] ni y être reçu pour la nuit ; je serai à l'intérieur et 255 vous dehors car vous ne parviendrez pas à pénétrer à l'intérieur et moi-même je ne pourrai pas vous rejoindre si ce n'est par la parole ou en vous donnant ma main. Pour l'amour de vous, je resterai à cette fenêtre jusqu'à l'aube si cela vous fait plaisir. Même si nous le voulions, nous ne pourrions nous rejoindre car 260 le sénéchal Keu qui souffre des plaies dont il est couvert dort en face de moi dans ma chambre même dont la porte ne reste jamais ouverte ; elle est solidement verrouillée et étroitement surveillée.

1. ***Absous*** : pardonné, excusé.
2. ***Céans*** : ici.

Mais surtout, lorsque vous viendrez, prenez bien garde à ne pas vous faire repérer par quelque espion.

265 – Dame, répondit Lancelot, autant qu'il dépendra de moi, aucun espion, susceptible d'en penser ou d'en dire du mal, ne me verra. »

Leur rendez-vous pris, ils se quittent dans la joie.

10. Nuit d'amour

Lancelot sort de la chambre si heureux qu'il en a oublié tous ses tourments passés. La nuit lui semble longue à venir et le jour lui paraît, tant il est impatient, cent fois plus long, voire aussi long qu'une année ! Il aurait volontiers couru à son rendez-vous si la 5 nuit était tombée. Enfin, une nuit noire et épaisse a fini par venir à bout du jour et l'a recouvert de son manteau. En voyant faiblir les dernières lueurs du jour, Lancelot prit un air las et déclara qu'ayant beaucoup veillé, il avait besoin de repos. Vous pouvez bien comprendre, vous qui en avez souvent fait autant, qu'il ne 10 feignait [1] d'être fatigué et de vouloir se coucher que pour tromper les gens de sa maison. Mais il ne tenait pas tellement à son lit car pour rien au monde il ne s'y serait endormi : il ne l'aurait pas pu et ne l'aurait pas osé et il n'aurait d'ailleurs pas voulu en avoir le pouvoir ni l'audace. Sans attendre, il se releva en évitant tout 15 bruit. Il ne fut pas fâché de voir que la nuit était sans lune et sans étoiles et que dans la maison il n'y avait plus une seule chandelle ni une seule lampe allumée. En restant aux aguets, il s'éloigna sans que personne ne s'en aperçoive car tous pensaient qu'il dormirait dans son lit jusqu'au matin. Sans personne pour lui tenir 20 compagnie et sans rencontrer personne, il se dirigea rapidement vers le verger. Il avait beaucoup de chance car peu de temps

---

1. ***Feignait*** : faisait semblant.

auparavant un pan du mur clôturant le verger s'était effondré. Il franchit cette brèche à la hâte et arriva bientôt près de la fenêtre. Il se tint là, immobile et muet, se gardant bien de tousser ou d'éternuer, jusqu'à ce que la reine apparaisse, toute blanche dans sa chemise. Elle ne portait ni robe ni tunique et s'était contentée de jeter sur ses épaules un court manteau d'écarlate [1] et de fourrure de marmotte. Quand Lancelot vit la reine appuyer la tête contre les barreaux de fer qui défendaient la fenêtre, il la salua avec des mots très tendres et elle lui rendit son salut avec la même douceur car un commun désir les entraînait lui vers elle et elle vers lui. Leur conversation fut aussi pure que remplie d'agrément [2]. Ils s'étaient rapprochés pour se tenir par la main. Pourtant ils étaient malheureux de ne pouvoir être encore plus près l'un de l'autre et ils en voulaient aux barreaux de fer de la fenêtre. Mais Lancelot se faisait fort [3], si la reine y consentait, d'entrer dans la chambre avec elle : ce n'étaient pas les barreaux qui pouvaient l'en empêcher.

« Ne voyez-vous pas comme ces barreaux sont durs à plier et trop résistants pour être brisés ? lui répondit-elle. Vous ne pourrez jamais les empoigner et les tirer vers vous avec suffisamment de force pour les arracher !

– Dame, fit-il, ne vous en souciez pas. Je ne pense pas que ce fer puisse me résister. Il n'y a que vous à pouvoir m'empêcher de venir vous rejoindre. Si vous me donnez votre permission, la voie me sera libre, mais si vous hésitez à me la donner alors elle me sera si difficile que rien ne pourra me la faire franchir.

– Eh bien oui ; je le veux. Ce n'est pas mon vouloir qui s'oppose à votre venue. Mais, je vous en prie, attendez un peu que je me sois recouchée et ne faites pas de bruit car nous n'aurions guère à nous réjouir si le sénéchal qui dort ici se réveillait à cause

1. ***Manteau d'écarlate*** : manteau d'un rouge éclatant.
2. ***Agrément*** : charme, grâce.
3. ***Se faisait fort de*** : se déclarait assez fort pour faire telle chose, se targuait de, se vantait de.

de notre tapage[1]. Il faut que je retourne me coucher car s'il me voyait debout devant cette fenêtre, il n'en penserait aucun bien.

– Dame, répondit Lancelot, allez-y donc mais ne craignez pas que je fasse le moindre bruit. Je pense pouvoir arracher ces barreaux avec douceur, sans peiner et sans réveiller personne. »

La reine regagne donc son lit et lui se prépare à venir à bout de la fenêtre. Il saisit solidement les barreaux et tire sans à-coups, les faisant ployer et sortir des trous dans lesquels ils étaient scellés. Mais le fer en était si tranchant qu'il s'ouvrit la première phalange du petit doigt jusqu'au nerf et se coupa à la première jointure du doigt suivant. Le sang se mit à couler mais, absorbé qu'il était par bien autre chose, Lancelot ne sentait même pas ses plaies. La fenêtre était à quelque hauteur mais il la franchit prestement[2] ; il contourna Keu endormi dans un profond sommeil et s'approcha du lit de la reine. Devant elle il s'inclina dans une adoration muette car il n'éprouvait autant d'amour pour aucune relique de saint[3]. Mais la reine lui tendit les bras, l'enlaça et le serra bien fort contre son cœur, l'attirant dans son lit tout près d'elle. Elle lui fit le plus bel accueil qu'elle ait jamais pu lui faire car elle se laissa aller à l'instinct que lui dictaient Amour et son cœur. C'est Amour qui la pousse à cet accueil charmant ; mais si elle l'aime d'un amour profond, lui l'adore cent mille fois plus car Amour qui fut avare pour tous les autres cœurs ne lésina[4] pas pour le sien. C'est dans son cœur qu'Amour s'épanouit si complètement qu'il ne pouvait que s'étioler[5] dans tous les autres. Maintenant, Lancelot possède tout ce qu'il désire puisque la reine prend plaisir à sa compagnie et à ses mots d'amour, puisqu'il la tient entre ses bras et qu'elle-même le serre contre son cœur.

---

1. ***Tapage*** : bruit.
2. ***Prestement*** : voir note 1, p. 37.
3. ***Relique de saint*** : corps ou fragment du corps d'un saint.
4. ***Ne lésina pas*** : ne fut pas avare.
5. ***S'étioler*** : se faner, s'affaiblir, dépérir.

Tous ces jeux de l'amour, faits de baisers et de caresses, leur
80 furent si voluptueusement[1] délicieux qu'ils en sombrèrent sans mentir dans une si grande extase qu'aujourd'hui encore on ne peut imaginer sa pareille. Mais je m'en tairai à jamais car il n'est pas séant[2] d'en parler dans un conte. Parmi toutes leurs joies, celle qui fut la plus aiguë et la plus délectable[3] est celle que le
85 conte entend passer sous silence. Pendant toute la nuit, Lancelot fut au comble du bonheur et du plaisir et lorsque apparurent les premières lueurs de l'aube, il lui fut très dur de se lever d'auprès de son amie. C'est alors qu'il fut un véritable martyr[4], tant s'arracher de là lui parut un insupportable supplice. Son cœur s'obs-
90 tine à retourner où la reine est restée et il ne peut le retenir car elle l'a si bien charmé qu'il refuse de l'abandonner. Le corps s'en va ; le cœur reste.

Lancelot revient tout droit vers la fenêtre mais il laisse derrière lui un peu de son corps car les draps sont tachés par le sang qui a
95 coulé de ses doigts. Il part la mort dans l'âme, en soupirant et les yeux gonflés de larmes. Nul autre rendez-vous n'a été pris, ce qui le tourmente ; mais cela n'est pas possible. C'est bien à contrecœur qu'il repasse cette fenêtre qu'il avait été si heureux de franchir. Il n'a plus les doigts intacts car il s'était profondément
100 blessé ; pourtant, il redresse les barreaux et les remet en place de telle sorte que, quel que soit l'endroit d'où on les regarde, il ne semblait pas que l'on ait pu ployer ou arracher l'un d'entre eux. Avant de partir, il se tourna une dernière fois vers la chambre et fléchit les genoux comme devant un autel. Puis il s'éloigna le
105 cœur serré de chagrin et regagna son lit sans rencontrer personne qui le reconnaisse. Il se glissa tout nu entre les draps sans éveiller

1. ***Voluptueusement*** : de façon à donner beaucoup de plaisir.
2. ***Séant*** : convenable.
3. ***Délectable*** : délicieuse, exquise.
4. ***Martyr*** : personne qui a souffert la mort pour avoir refusé de renoncer à la foi chrétienne ; par extension, personne qui souffre, qui meurt pour une cause.

Le livre au Moyen Âge

Au Moyen Âge, le livre est un objet d'art extrêmement précieux dont la confection nécessite l'intervention de copistes, d'enlumineurs, de miniaturistes et de relieurs, ainsi que l'utilisation de matériaux coûteux : le parchemin sur lequel on écrit est fabriqué à partir de peaux de moutons, parfois plusieurs centaines, soigneusement préparées.

▶ Le *copiste*, qui calligraphie le texte à l'aide d'un calame (un roseau taillé) ou d'une plume, « réserve » un certain nombre d'emplacements pour que l'enlumineur puisse les décorer et rendre visibles les articulations du texte. Ci-contre, l'initiale historiée, c'est-à-dire ornée d'un dessin, est issue d'un manuscrit du XIIe siècle et représente le théologien Pierre Lombard écrivant son *Livre des Sentences* (en 1154).

◀ Dans ce manuscrit datant du début du XIVe siècle (cycle de Lancelot-Graal, Queste, *Mort Artu*), chaque partie du cycle narratif s'ouvre par une *miniature* (petit tableau résumant l'histoire) : sur cette page, le roi Arthur fait mettre les récits des chevaliers par écrit. Les pages elles-mêmes sont ponctuées d'initiales historiées soulignant le thème majeur de l'épisode : ici, la reine Guenièvre est accusée d'adultère par les barons qui l'entourent. Dans les marges, les motifs végétaux et les petites figures grotesques n'illustrent pas nécessairement l'histoire, mais ont un caractère décoratif.

L'idéal chevaleresque

À l'origine simples serviteurs armés d'un seigneur, les chevaliers gagnent progressivement une place à part dans la société féodale du Moyen Âge. L'Église contribue à la sacralisation de leur fonction en ritualisant la cérémonie de l'*adoubement* par laquelle l'apprenti devient chevalier. Chansons de gestes et romans courtois diffusent dans les châteaux les idéaux de vaillance, de loyauté et de générosité que doit respecter le chevalier, ainsi que les vertus courtoises (c'est-à-dire propres à la vie de cour) qui doivent l'animer, tels le raffinement des manières et des sentiments, et le respect dû aux dames. Les chevaliers de la Table Ronde qui entourent le roi Arthur dans tous les écrits inspirés de la matière de Bretagne deviennent des modèles.

L'adoubement

◀ Scène d'adoubement. Enluminure d'un manuscrit français du XIIIe siècle.

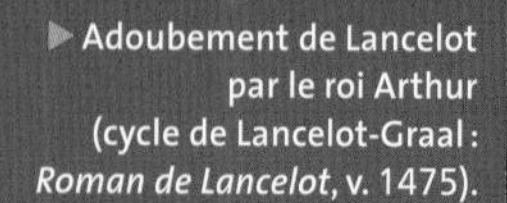

▶ Adoubement de Lancelot par le roi Arthur (cycle de Lancelot-Graal : *Roman de Lancelot*, v. 1475).

La Table Ronde

▲ **Arrivée de Galaad à la cour du roi Arthur (cycle de Lancelot-Graal :** ***Lancelot du lac***, **XIVe siècle).** Les chevaliers compagnons du roi Arthur siègent à égalité autour de la Table Ronde. Ils accueillent ici le plus preux d'entre eux, Galaad, fils de Lancelot, qui a gagné par ses premiers exploits le droit de s'asseoir à leurs côtés.

Défis, épreuves et duels

Lorsque, s'inspirant de la matière de Bretagne, Chrétien de Troyes rédige ses romans, il livre une vision elle-même idéalisée de la chevalerie. Le chevalier est un héros qui s'engage dans une quête : il doit prouver sa valeur en cherchant l'aventure, en relevant les défis et en surmontant les épreuves.

▲ Cycle de Lancelot-Graal : *Lancelot du lac*, 1344.

Questions

1. Quels sont les lieux représentés dans la miniature ci-dessus illustrant les aventures du chevalier de la charrette ?
2. Quelles péripéties représente-t-elle ? Pour les raconter, quels détails du récit sont conservés ?
3. Pourquoi le personnage central est-il dédoublé à deux reprises ?

▶ Lancelot combat sous les yeux de sa dame, miniature d'un manuscrit français du XVe siècle.

Lancelot : un héros ambigu

Dans ce roman, Chrétien de Troyes brosse le portrait d'un personnage extrêmement paradoxal, un chevalier qui doit prouver sa valeur en acceptant de se soumettre à la plus infamante des situations et qui se met au service de son roi tout en trahissant son serment de fidélité.

◀ Lancelot monte dans la charrette d'infamie pour sauver la reine Guenièvre (cycle de Lancelot-Graal : *Roman de Lancelot*, v. 1475).

▶ Lancelot et la reine Guenièvre, miniature du XVe siècle.

Méléagant, le chevalier félon

À travers Méléagant, le roman de Chrétien de Troyes fait une grande place au chevalier félon, qui viole les valeurs de loyauté, d'obéissance et de respect. La fourberie de Méléagant culmine lorsqu'il retient Lancelot prisonnier dans la tour, le privant ainsi de la possibilité d'accomplir sa quête et faisant peser le soupçon qu'il se soit enfuit par crainte d'affronter les périls (p. 100).

◀ Initiale historiée d'un recueil de romans du cycle de la Table Ronde du XIIIe siècle.

La joute finale entre Lancelot et le félon devient un duel judiciaire où s'exprimera le jugement de Dieu.

▶ Lancelot tranche la tête de Méléagant (cycle de Lancelot-Graal : *Roman de Lancelot*, v. 1475).

Dans la société du Moyen Âge, où valeurs religieuses et morales sont intimement liées, la figure du chevalier félon précipité en Enfer orne fréquemment le tympan des églises. Datant du début du XIIe siècle, celui de l'abbatiale Sainte-Foy de Conques, en Aveyron, représentant le Jugement dernier d'après l'évangile de Matthieu, constitue un chef-d'œuvre de l'art roman. Le Christ y figure avec, à sa droite, le Paradis qui accueille les élus et, à sa gauche, l'Enfer où les démons châtient les auteurs des sept péchés capitaux parmi lesquels un chevalier félon, qui chute à la renverse, à côté de sa monture. Il symbolise l'orgueil.

◀ Détail du tympan de l'abbatiale Sainte-Foy de Conques, donnant à voir un chevalier félon (XIIe siècle).

Postérité des romans de chevalerie

Dès les débuts du cinéma, le Moyen Âge constitue une source d'inspiration très riche où les scénaristes puisent aventures et histoires d'amour, ainsi que toute une galerie de personnages incarnant l'idéal chevaleresque.

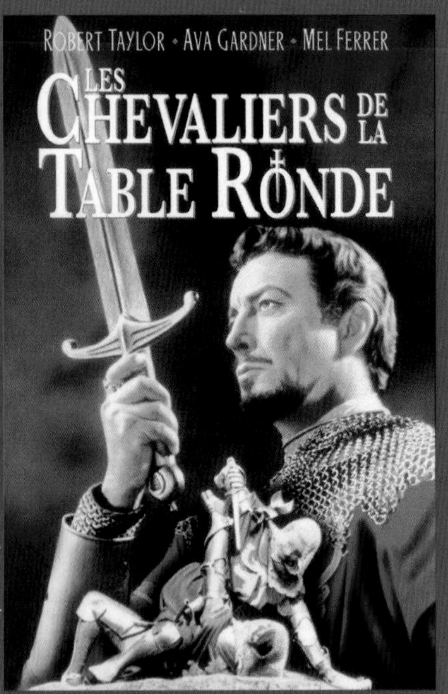

◄ Affiche du film *Les Chevaliers de la Table Ronde*, de Richard Thorpe, 1953.

► Affiche du film *Lancelot du Lac*, de Robert Bresson, 1974.

Questions

Comparez les deux affiches et répondez aux questions suivantes :

1. Quels éléments symbolisent l'univers médiéval ?
2. Quelles sont les couleurs dominantes ? Qu'évoquent-elles ?
3. Analysez le cadrage et la composition générale des deux affiches : que peut-on en déduire sur la représentation du « roman de chevalerie » par les deux réalisateurs ?

personne. Alors, pour la première fois, il s'aperçut à sa grande surprise que ses doigts étaient blessés. Mais il ne s'en émut pas outre mesure car il savait bien que c'était en arrachant les barreaux de la fenêtre qu'il s'était ainsi blessé. De ce fait, il ne songea même pas à s'en plaindre car il aurait préféré avoir perdu les deux bras plutôt que de n'être pas passé. Pourtant, s'il s'était aussi vilainement abîmé en d'autres circonstances, il en aurait été vivement contrarié. [...]

[Le lendemain matin, Méléagant découvre les taches de sang sur les draps de Guenièvre et Keu, qui a passé la nuit dans la même pièce qu'elle et qui gît couvert de plaies ensanglantées, est accusé d'avoir eu des rapports charnels avec la reine. Lancelot accourt alors pour défendre l'honneur de sa bien-aimée en combattant contre le calomniateur, Méléagant. Mais le roi Baudemagus réussit une nouvelle fois à les séparer.
Notre héros repart à la recherche de Gauvain. Il est enlevé par les hommes de Méléagant, lequel le garde en captivité chez un sénéchal. Gauvain, sain et sauf, la reine et Keu, quant à eux, décident de regagner la cour du roi Arthur, pensant y trouver Lancelot, comme le leur a indiqué une lettre mensongère.
Peu de temps après le retour de Guenièvre auprès du roi Arthur est organisé le tournoi de Noauz. Lancelot, qui a appris la nouvelle et qui sait que la reine doit y assister, réussit, avec l'aide de la femme du sénéchal, à s'échapper pour participer aux jeux. Il en sort vainqueur mais revient, comme il l'a promis à la femme de son geôlier, se constituer prisonnier...]

11. La dernière perfidie de Méléagant

Lancelot, quant à lui, ne traînait pas ; il revenait à grande allure vers sa prison. Mais le sénéchal qui l'avait sous sa garde revint chez lui deux ou trois jours avant lui. Il demanda où il était et la

dame qui avait prêté à Lancelot les belles armes vermeilles [1] de son
5 mari ainsi que le reste de son équipement et son destrier ne lui cacha pas la vérité ; elle lui avoua qu'elle lui avait ainsi permis de prendre part au tournoi de Noauz.

« Dame, fit le sénéchal, vraiment vous ne pouviez faire pire ! Cela me vaudra, je crois, de grands malheurs car Méléagant, mon
10 seigneur, me fera subir un sort plus effroyable que si j'étais tombé, à la suite d'un naufrage, aux mains du géant qui hante le Mont-Saint-Michel [2] ! Dès qu'il l'apprendra, il me fera mourir dans les pires tourments. Il n'aura aucune pitié de moi.

– Cher seigneur, ne vous alarmez pas, répondit la dame, ne
15 craignez rien : vous n'avez pas de raison d'avoir peur. Rien ne peut retenir Lancelot loin d'ici car il m'a juré sur les reliques des saints [3] qu'il reviendrait au plus tôt qu'il le pourrait. »

Le sénéchal sauta alors en selle et alla trouver son seigneur pour lui conter toute l'histoire. Mais pour le rassurer, il lui dit
20 que sa femme avait fait jurer à Lancelot qu'il reviendrait dans sa prison.

« Il ne se parjurera pas [4], fit Méléagant, je le sais bien mais cependant je suis très contrarié par ce que votre femme a fait : à aucun prix je n'aurais voulu qu'il aille à ce tournoi. Mais retournez
25 chez vous sans tarder et prenez garde à ce que Lancelot, quand il sera revenu, soit suffisamment surveillé pour être dans l'incapacité de s'échapper de sa prison et pour ne plus pouvoir ainsi disposer de lui-même. Et hâtez-vous de m'avertir.

– Il en sera fait comme vous l'ordonnez », répondit le
30 sénéchal.

---

1. ***Armes vermeilles*** : armes recouvertes d'une dorure tirant sur le rouge.
2. ***Géant qui hante le Mont-Saint-Michel*** : il s'agit peut-être du géant Dinabuc vaincu par le roi Arthur au Mont-Saint-Michel, comme le rapportent Geoffroy de Monmouth dans son *Historia regum Britanniae* et Wace dans son *Roman de Brut* (voir présentation, p. 6).
3. ***Reliques des saints*** : voir note 3, p. 93.
4. ***Il ne se parjurera pas*** : il ne violera pas sa promesse.

Le sénéchal revint chez lui où il trouva Lancelot qui était revenu se constituer prisonnier dans son manoir. Il envoya un messager qui refit rapidement le chemin inverse pour annoncer à Méléagant le retour de Lancelot. À cette nouvelle, Méléagant
35 convoqua des maçons et des charpentiers qui, de gré ou de force[1], obéirent à ses ordres. Il rassembla les meilleurs du pays et leur ordonna de bâtir une tour et d'unir leurs efforts pour l'édifier au plus vite. On amena la pierre par la mer. En effet, près de Gorre, un large bras de mer entourait une île que
40 Méléagant connaissait. C'est là que sur son ordre on a extrait la pierre du sol et coupé les chevrons[2] pour construire la tour. En moins de cinquante-sept jours la tour fut terminée. Elle était très haute, énorme, avec des murs épais. Quand elle fut ainsi édifiée, Méléagant fit amener Lancelot et l'y enferma.

45 Puis il ordonna de murer les portes et fit jurer à tous les maçons que jamais de leur vie ils ne souffleraient mot de cette tour. Il voulait ainsi qu'elle reste ignorée. Pour seule ouverture il ne resta qu'une petite fenêtre. C'est là que Lancelot fut obligé de vivre et c'est par cette petite fenêtre qu'on lui donnait chichement
50 à manger, et encore avec difficulté, à des heures prescrites ainsi que l'avait ordonné cet infâme scélérat[3] de Méléagant.

Méléagant a donc ainsi réalisé tout ce qui lui tenait à cœur. Après quoi, sans perdre un instant, il file à la cour du roi Arthur où il arrive bientôt. Il se précipite devant le roi et d'un ton arro-
55 gant s'adresse à lui en ces termes :

« Roi, j'ai juré solennellement de me battre en combat singulier devant toi, en ta cour ; mais je n'y vois pas Lancelot et c'est pourtant lui qui s'est engagé à lutter contre moi. Néanmoins, ainsi que je dois le faire, devant tous ceux que je vois ici, je l'appelle à me

---

1. ***De gré ou de force*** : qu'ils fussent consentants ou qu'on dût les forcer.
2. ***Chevrons*** : pièces de bois sur lesquelles on fixe des lattes qui soutiennent la toiture.
3. ***Scélérat*** : criminel, méchant.

60 rencontrer. S'il est ici, qu'il s'avance et qu'il se déclare prêt à me tenir parole d'ici un an en ta cour même. Je ne sais si on vous a rapporté en quelles circonstances ce combat fut décidé, mais je vois ici des chevaliers qui étaient présents lorsque nous en avons arrêté les conditions et ils pourraient vous le confirmer s'ils vou-
65 laient bien reconnaître la vérité. Si Lancelot veut me désavouer [1], je n'aurai pas recours aux services d'un mercenaire [2] ; je saurai bien tout seul faire la preuve de ses torts. »

La reine, qui était assise auprès du roi [3], l'attira vers elle et lui glissa à l'oreille :

70 « Sire, savez-vous qui est ce chevalier ? C'est Méléagant qui me fit prisonnière alors que j'étais sous la sauvegarde de Keu auquel il causa beaucoup de honte et de souffrance.

– Dame, lui répondit le roi, je l'ai fort bien compris. Je sais parfaitement que c'est lui qui retenait mes sujets en exil. »

75 La reine n'ajouta rien et le roi, se tournant vers Méléagant, lui répondit :

« Ami, Dieu m'en soit témoin, nous sommes sans nouvelles de Lancelot et cela nous inquiète beaucoup.

– Sire roi, répliqua Méléagant, Lancelot m'avait assuré qu'à
80 coup sûr je le trouverais ici et je ne peux l'assigner à ce combat [4] nulle part ailleurs qu'en votre cour. Je veux que tous ces barons qui sont ici m'en soient témoins : en vertu des accords [5] que nous avons conclus lorsque nous avons décidé ce combat, je le somme [6] de me tenir sa promesse dans un an à compter d'aujourd'hui. »

85 À ces mots, Gauvain, qu'une telle sommation [7] agaçait beaucoup, bondit sur ses pieds et déclara :

---

1. ***Me désavouer*** : ne pas tenir sa promesse envers moi.
2. ***Mercenaire*** : voir note 2, p. 84.
3. ***Roi*** : il s'agit du roi Arthur que sa femme Guenièvre a rejoint.
4. ***L'assigner à ce combat*** : lui demander instamment de combattre.
5. ***En vertu des accords*** : par le pouvoir que me donnent les accords.
6. ***Je le somme*** : je lui ordonne.
7. ***Sommation*** : ordre, commandement.

« Sire, en ce qui concerne Lancelot, il ne se trouve nulle part en ce royaume mais nous le ferons chercher et s'il plaît à Dieu nous le retrouverons avant un an à moins qu'il ne soit mort ou 90 emprisonné au fond d'un cachot. Et s'il ne reparaît pas, accordez-moi ce combat ; je le souhaite de tout cœur. Au jour dit, je serai armé de pied en cap en lieu et place de Lancelot s'il ne reparaît pas d'ici là.

– Ah ! pour Dieu, beau sire roi, fit Méléagant, accordez-lui ce 95 combat : il le désire et, pour ma part, je vous en prie car, excepté Lancelot, il n'y a pas de chevalier au monde avec qui je souhaite autant me mesurer. Mais soyez assuré que si je ne peux me mesurer à aucun des deux, je n'accepterai aucun échange ni aucun remplaçant à la place de l'un ou de l'autre. »

100 Le roi déclara qu'il en était d'accord si Lancelot ne revenait pas à temps. Et, sans plus attendre, Méléagant quitta la cour d'Arthur pour revenir d'une traite trouver son père le roi Baudemagus. Il afficha en sa présence un air d'importance pour bien montrer qu'il était un preux[1] d'un rare mérite. Ce jour-là, le 105 roi tenait en sa cité de Bade[2] une cour plénière[3] fort joyeuse : c'était le jour de son anniversaire, aussi la joie éclatait-elle de partout et il était entouré de gens de toutes sortes venus en grand nombre. Tout le palais était rempli de chevaliers et de demoiselles. Parmi elles s'en trouvait une, qui était la sœur de 110 Méléagant, dont je vous dirai bientôt quel rôle je compte lui faire jouer. Mais pour l'instant je ne veux pas en parler car il ne convient pas à mon plan d'en dire davantage dès maintenant : je ne veux pas déformer ou rompre l'ordonnance[4] de mon récit que je tiens à poursuivre de la manière la plus directe et la plus 115 logique. Pour l'heure, sachez seulement que dès son arrivée,

1. ***Preux*** : courageux.
2. ***Bade*** : capitale du royaume de Gorre.
3. ***Cour plénière*** : voir note 3, p. 20.
4. ***Ordonnance*** : ordre.

Méléagant s'adressa à son père à voix assez haute pour être entendu de tous, grands et petits.

« Père, dit-il, aussi vrai que je souhaite que Dieu vous tienne en sa sauvegarde, je vous prie de me dire bien franchement, si vous
120 n'y voyez pas d'inconvénient, si, d'après vous, celui qui sait se faire craindre par ses armes à la cour du roi Arthur n'a pas lieu d'en être satisfait et si cela ne témoigne pas de sa haute vaillance[1]. »

Son père, sans en entendre davantage, répondit à sa question :

« Fils, tous ceux qui ont du cœur doivent honorer et servir
125 celui qui témoigne d'un tel mérite et ils doivent rechercher sa compagnie. »

Il flatte son orgueil et le prie de ne pas lui cacher la raison de ses propos ni ses intentions, ni ce qu'il souhaite, ni d'où il vient.

« Sire, répondit Méléagant, je ne sais si vous vous rappelez des
130 termes et des conditions de l'accord qui fut conclu entre Lancelot et moi à la suite de votre intervention. Vous devez bien vous souvenir, je pense, que devant plusieurs témoins, on nous enjoignit de nous retrouver tous les deux à la cour d'Arthur, un an après ma sommation, prêts à nous battre de nouveau. J'y suis
135 donc allé en temps voulu, disposé à respecter l'engagement qui m'y conduisait. J'ai fait alors tout ce que je devais faire : j'ai demandé et cherché Lancelot contre qui je devais me battre mais je n'ai pu ni le voir ni le trouver. Il a dû fuir et se cacher quelque part ! Alors je ne m'en suis retourné qu'avec l'engagement solen-
140 nel de Gauvain que si Lancelot n'est plus en vie, ou s'il ne réapparaît pas avant le terme fixé, le combat ne sera pas remis à plus tard : lui-même, il me l'a juré, se mesurera à moi à la place de Lancelot. Arthur n'a pas de chevalier qu'on vante autant que lui, c'est bien connu. Mais avant que les sureaux[2] ne soient refleuris,
145 je verrai bien, si toutefois on en vient à échanger quelques coups,

---

1. ***Vaillance*** : courage.
2. ***Sureaux*** : arbres dont les fleurs odorantes donnent des grappes de baies rouges ou noires.

si la réalité est en accord avec cette renommée. J'aimerais bien y être déjà !

– Mon fils, répondit Baudemagus, tu viens à l'instant de te faire juger comme un sot. Maintenant, celui qui l'ignorait encore a appris de ta bouche même ta folie. C'est bien vrai que celui qui a un cœur pur et généreux est capable de s'humilier, mais le fou rempli d'orgueil n'arrivera jamais à se guérir de sa folie. Fils, c'est pour toi que je le dis, car tu es si enclin [1] à la dureté et à la cruauté qu'il n'y a pas en toi la plus petite trace de douceur et d'amour ; ton cœur est par trop fermé à toute pitié et tu es entièrement dominé par une folie furieuse. C'est pourquoi je n'éprouve pour toi que mépris et c'est ce qui te perdra. Si tu es un vaillant parmi les vaillants, il y aura assez de gens pour en témoigner au moment qu'il faudra. Il n'est pas nécessaire à un preux de louer lui-même son courage pour donner plus d'éclat à ce qu'il fait : les actes parlent d'eux-mêmes. Les éloges que tu fais de toi ne contribuent pas à augmenter ta valeur, même pas du prix que l'on peut attacher à une alouette ; bien au contraire, pour ma part, je t'en estime d'autant moins. Fils, je peux bien te faire la morale, mais à quoi cela sert-il ? Tout ce que l'on peut dire à un fou a bien peu d'effet. Car celui qui veut guérir un fou de sa folie ne parvient qu'à s'épuiser lui-même. Il ne sert à rien de faire découvrir le bien et de l'enseigner à quelqu'un qui refuse de le mettre en pratique : la leçon est vite oubliée et totalement vaine. »

En entendant ces mots, Méléagant ne put se contenir et devint ivre de rage. Jamais on ne vit créature humaine – et cela je peux bien vous l'affirmer – entrer dans une telle colère. Dans cet accès de fureur, la mince couverture de décence [2] qui le retenait encore vola en éclats et, sans aucune retenue, il répondit à son père :

« Êtes-vous en train de rêver ou de délirer tout éveillé pour dire que je suis fou quand je vous raconte ce qui fait ma vie ? Je pensais

---

1. ***Enclin à*** : disposé à.
2. ***La mince couverture de décence*** : le peu de correction, de bienséance.

être venu à vous comme à mon père et à mon seigneur mais il ne me semble guère qu'il en soit ainsi car vous m'insultez plus vilainement qu'à mon avis vous n'en avez le droit. Et vous ne sauriez 180 même pas dire la raison de cette algarade[1] !

– Oh si ! et sans problème !

– Alors quelle est-elle selon vous ?

– Tout simplement que je ne vois rien de bon en toi mais seulement rage et folie. Je connais fort bien le fond de ton cœur 185 qui t'attirera encore de méchants ennuis. Maudit soit celui qui pourrait penser que Lancelot, ce modèle de la chevalerie, qui est estimé de tous sauf de toi, ait pu s'enfuir par crainte de toi ! Peut-être est-il enterré ou enfermé dans une prison dont la porte est si solidement verrouillée qu'il ne peut en sortir sans la permission 190 de son geôlier ! Certes, s'il était mort ou touché dans son intégrité physique, j'en serais très vivement affecté. Ce serait une perte irréparable si un être d'un tel mérite, aussi beau, aussi vaillant et aussi pétri de qualités avait aussi tôt disparu. Mais plaise à Dieu qu'il n'en soit rien ! »

12. Libération de Lancelot

Après sa harangue[2], Baudemagus resta silencieux. Mais une sienne fille[3] avait attentivement écouté tous ses propos. C'était la demoiselle dont j'ai fait mention un peu plus haut dans mon récit. Et elle n'était pas des plus heureuses en entendant rapporter 5 de telles nouvelles au sujet de Lancelot. Elle comprit fort bien qu'on le détenait au secret puisqu'on n'en avait de nouvelles de nulle part.

1. ***Algarade*** : fureur, attaque vive et soudaine en paroles contre quelqu'un.
2. ***Harangue*** : longue remontrance, sermon.
3. ***Une sienne fille*** : sa fille.

« Puisse Dieu ne jamais m'accepter dans son Paradis si jamais je prends une minute de repos avant d'avoir de lui des nouvelles
10 certaines », se dit-elle.

Et sur l'heure, sans rien dire de ses intentions, elle courut enfourcher une mule très belle et douce à monter. En ce qui me concerne, je me bornerai à préciser qu'en quittant la cour, elle ne savait dans quelle direction diriger ses pas. Elle ne le sait pas et
15 ne cherche pas à s'en enquérir[1] : elle s'engage dans le premier chemin qu'elle trouve et s'en va à grande allure, à l'aventure, sans être escortée d'un chevalier ou d'un homme d'armes. Elle se hâte, désireuse de découvrir au plus vite ce qu'elle cherche. Elle se donne beaucoup de mal et s'active mais elle n'est pas au bout
20 de ses peines. Elle ne peut guère se reposer ni demeurer longtemps dans le même lieu si elle veut mener à bon terme l'entreprise dans laquelle elle s'est engagée, à savoir libérer Lancelot de sa prison si elle peut le retrouver et si elle peut le sortir de là.

Mais je pense qu'avant de le retrouver, ou d'avoir quelque
25 nouvelle de lui, il lui faudra explorer en tous sens maintes et maintes contrées. Mais à quoi me servirait de raconter par le menu ses étapes et ses haltes ? Toujours est-il qu'elle emprunta tant de chemins, ici et là, en amont comme en aval, qu'un bon mois passa sans qu'elle eût pu en apprendre plus qu'elle n'en
30 savait déjà, c'est-à-dire pratiquement rien. Un jour qu'elle traversait un champ, triste et pensive, elle vit au loin, sur un rivage, en bordure d'un bras de mer, une tour isolée. Sur une bonne lieue[2] à la ronde, il n'y avait ni maison, ni manoir, ni hutte de berger. C'était la tour qu'avait fait construire Méléagant pour y enfermer
35 Lancelot. Mais la demoiselle n'en savait rien. Dès qu'elle l'eut aperçue, elle la fixa sans pouvoir en détourner les yeux. Elle eut brusquement la conviction intime que c'était là ce qu'elle avait tant cherché. Elle était maintenant arrivée au bout de sa quête car

---

1. ***Enquérir*** : voir note 3, p. 34.
2. ***Une bonne lieue*** : environ 4 km.

Fortune[1] l'avait conduite droit au but après l'avoir si longtemps
40 maintenue dans l'errance.

La demoiselle s'approche de la tour jusqu'à la toucher ; elle en fait le tour en tendant l'oreille ; elle se concentre pour tenter de percevoir un signe de vie dont elle pourrait se réjouir. Elle regarde le pied de la tour puis jette ses regards vers le haut, écrasée par sa
45 masse et sa hauteur. Elle est très intriguée et se demande pourquoi on n'y voit aucune porte ni aucune fenêtre excepté une seule, petite et étroite. Et il n'y a aucune échelle ni aucun escalier pour pénétrer dans cette tour aux murs droits montant vers le ciel. Aussi la demoiselle pense-t-elle que tout cela est voulu et que
50 Lancelot est prisonnier à l'intérieur. Avant même de consentir à prendre quelque nourriture, elle saura si son intuition est vraie ou fausse. Elle était sur le point d'appeler Lancelot par son nom mais elle se retint car, alors qu'elle était encore restée silencieuse, elle entendit quelqu'un qui, dans la tour, se lamentait à grands cris
55 douloureux en appelant la mort de tous ses vœux. Celui qui laissait ainsi éclater sa douleur et sa souffrance en souhaitant la fin de sa vie sans espoir s'exprimait avec difficulté d'une voix faible et rauque :

« Ah ! Fortune, comme ta roue[2] a vilainement tourné pour
60 moi ! Tu l'as méchamment fait retomber car j'étais à son sommet et je suis maintenant tout au bas ; je nageais dans le bonheur et maintenant je me noie dans la souffrance ; maintenant tu me boudes alors qu'hier tu me souriais. Hélas ! pauvre infortuné[3], pourquoi te fiais-tu à elle qui t'a si vite abandonné ! Il lui a fallu
65 bien peu de temps pour me précipiter de si haut vers le bas. Fortune, tu as bien mal agi en te moquant ainsi de moi. Mais que t'importe ! Tu te soucies fort peu de notre destin ! Ah ! sainte

1. ***Fortune*** : divinité qui représente le hasard, le destin.
2. ***Roue*** : il s'agit de la roue symbolique du destin qui décide du bonheur ou du malheur de chacun.
3. ***Infortuné*** : malheureux.

Croix[1] ! Ah ! Saint-Esprit[2] ! Comme ma perte est assurée ! C'en est fait de moi ! Comme ma situation a changé du tout au tout ! 70 Ah ! Gauvain, vous qui êtes si vaillant et qui n'avez pas votre égal en générosité, je me demande avec stupeur pourquoi vous ne venez pas à mon secours ! Certes vous tardez trop et ce n'est pas là une attitude bien courtoise !

« Celui que vous aviez coutume de tenir pour votre ami intime 75 aurait bien mérité de recevoir votre aide. Vraiment je peux bien affirmer sans mentir, que des deux côtés de la mer, il n'y a pas d'endroit assez reculé et de retraite secrète où je ne vous aurais cherché jusqu'à ce que je vous aie trouvé et ce pendant au moins sept ou dix ans, si je vous avais su prisonnier. Mais à quoi bon 80 tout ce débat ! Je ne compte sans doute pas suffisamment à vos yeux pour que vous vouliez vous mettre en peine à cause de moi ! Le vilain dit à juste titre dans ses proverbes qu'il est toujours difficile de trouver un ami mais que, par contre, il est très facile dans le besoin de distinguer le vrai. Hélas ! il y a plus d'un an 85 qu'on m'a enfermé dans cette tour ! Ah ! Gauvain, je tiens pour indigne de vous de m'y avoir laissé croupir aussi longtemps ! Mais peut-être je vous blâme à tort car vous devez ignorer ma situation. Certes cela est vraisemblable et j'en suis persuadé ! J'ai médit[3] de vous et me suis montré injuste en vous pensant insen- 90 sible à mon sort, car je suis certain que rien sous la voûte du ciel n'aurait pu vous empêcher vous et vos compagnons de venir m'arracher à mon sort infortuné, si vous aviez su la vérité. Et vous l'auriez fait au nom de l'amitié qui nous unit : je ne peux penser autre chose de vous. Mais c'est la fin. Rien de bon ne peut 95 plus m'arriver ! Ah ! qu'il soit maudit de tous les saints celui qui

---

1. ***Sainte Croix*** : allusion à la croix sur laquelle Jésus fut mis à mort.
2. ***Saint-Esprit*** : la doctrine chrétienne croit en un Dieu unique en trois personnes ; c'est le dogme de la Trinité : le père (Dieu), le fils (Jésus-Christ) et l'esprit (Saint-Esprit).
3. ***J'ai médit*** : j'ai dit du mal.

me condamne à finir mes jours d'une manière aussi honteuse et que Dieu le punisse en conséquence ! C'est de tous les humains le pire qui soit, ce Méléagant qui, par pure envie[1], m'a fait tout le mal qu'il a pu. »

100 Alors, celui qui passe sa vie dans la souffrance arrête là ses plaintes, mais la demoiselle qui attendait toujours en silence au pied de la tour avait tout entendu. Sans plus se retenir, car elle est maintenant sûre de toucher au but, elle l'appelle d'une voix assurée :

105 « Lancelot, crie-t-elle aussi fort qu'elle le peut, ami, vous qui êtes là-haut dans cette tour, répondez à l'appel d'une amie. »

Mais celui qui était prisonnier dans la tour ne l'entendit pas. Pourtant la demoiselle s'efforçait de crier de plus en plus fort, tant et si bien que Lancelot, malgré la langueur dans laquelle il 110 se trouvait, finit quand même par la percevoir faiblement et il se demanda avec étonnement qui pouvait bien l'appeler. Une voix qui prononçait son nom parvenait jusqu'à lui mais il ne pouvait savoir à qui elle appartenait. Il pensa que c'était un fantôme. Il regarda tout autour de lui, fouillant la pénombre des yeux pour 115 chercher une présence, mais il était bien seul dans la tour.

« Dieu, fait-il, quelle est cette voix que j'entends ? Quelqu'un parle et je ne vois personne. Par ma foi, c'est étrange ! Pourtant je ne dors pas ; j'ai les yeux bien ouverts. Si j'avais fait un songe en dormant, j'aurais pu croire à une simple illusion, mais je suis bien 120 éveillé et cela me tourmente. »

Alors, avec beaucoup de peine, il se redresse et lentement se dirige vers la petite fenêtre. Arrivé là, il se cale tant bien que mal dans l'étroite ouverture et tente, autant qu'il le peut, de balayer du regard l'extérieur de la tour. Alors il voit celle qui l'avait appelé. Il 125 ne sait pas qui elle est mais du moins il la voit. Elle, par contre, le reconnaît bien.

1. ***Envie*** : jalousie.

« Lancelot, lui dit-elle, je suis venue de très loin pour vous chercher. Maintenant, Dieu merci, je suis au bout de mes peines car je vous ai trouvé. Je suis celle qui vous a demandé un don alors que 130 vous vous rendiez au Pont-de-l'épée et vous me l'avez accordé de bon gré dès que je vous l'ai eu demandé : il s'agissait de la tête de ce chevalier que vous avez vaincu et que je détestais. Pour moi, vous la lui avez tranchée. C'est pour vous remercier de ce don et de ce service que je me suis lancée dans cette pénible quête et que je vous 135 sortirai de cette tour.

– Grand merci, demoiselle, répond le prisonnier, je serai bien récompensé du service que je vous ai rendu si grâce à vous je sors d'ici. Si vous réussissez à me tirer de là, je peux bien vous jurer au nom de l'apôtre saint Paul que je vous serai à tout jamais acquis. 140 Aussi vrai que je souhaite de me trouver un jour devant Dieu, je vous promets qu'il n'y aura pas un seul jour où je ne fasse tout ce qu'il vous plaira de me commander. Quoi que vous me demandiez, vous l'aurez sur-le-champ, si cela dépend de moi.

– Ami, ne craignez rien : vous allez sortir de votre prison ; dès 145 aujourd'hui même vous serez en liberté. Même pour mille livres je ne renoncerais pas à ce que vous en soyez délivré dans le courant de la journée. Après quoi je ferai en sorte que vous puissiez vous reposer dans les meilleures conditions : il n'y a pas une chose qui dépende de moi que vous n'aurez si vous en avez envie. Ne vous 150 faites pas de souci. Mais auparavant il me faut chercher quelque part dans les environs un outil quelconque qui vous permette, si je le trouve, d'agrandir suffisamment cette ouverture pour pouvoir sortir de là.

– Dieu fasse que vous le trouviez, répond Lancelot qui est bien 155 d'accord avec elle. Pour ma part, je dispose ici d'une bonne longueur de corde que mes gardiens m'ont donnée pour remonter ma nourriture faite de pain d'orge très dur et d'eau trouble qui me lève le cœur et me fait perdre mes forces. »

La fille du roi Baudemagus se met alors en quête et trouve un 160 pic solide, massif et pointu qu'elle fait aussitôt passer à Lancelot,

lequel attaque la muraille à grands coups répétés tant et si bien qu'après des efforts épuisants, il peut sortir de la tour sans trop de difficultés. C'est pour lui un grand soulagement et une grande joie que d'être ainsi arraché à ces lieux où il était resté si long-
165 temps cloîtré et de pouvoir retrouver sa liberté de mouvement. Maintenant il est à l'air libre et il a tout l'espace devant lui. Même si on lui avait offert tout l'or du monde rassemblé en un tas, il n'aurait pas voulu revenir en arrière !

Lancelot était donc libre mais il était si fatigué qu'il chance-
170 lait [1] de faiblesse et d'épuisement. Avec une grande douceur pour éviter de lui faire mal, la demoiselle le fit monter devant elle sur sa mule et ils s'éloignèrent rapidement. Volontairement la demoiselle évita les chemins trop fréquentés afin qu'on ne les remarque pas. Ils chevauchèrent en cachant leur présence car s'ils s'étaient
175 montrés au grand jour quelqu'un aurait pu les reconnaître et leur causer rapidement préjudice [2], ce que la demoiselle voulait éviter.

C'est pourquoi elle passa à l'écart des endroits dangereux pour arriver enfin à un manoir où elle aimait séjourner à cause de la beauté et de l'agrément [3] des lieux. Tous les habitants du
180 manoir lui étaient entièrement dévoués. L'endroit était bien pourvu de tout ce dont on pouvait avoir besoin ; l'air y était pur et la tranquillité assurée. C'est là que la demoiselle conduisit Lancelot. À peine furent-ils arrivés que la demoiselle déshabilla Lancelot et le fit douillettement coucher dans un grand lit somp-
185 tueusement garni. Puis elle le baigna et lui prodigua tant de soins que je ne saurais même en énumérer la moitié. Elle le massa et lui pétrit les chairs avec douceur comme elle l'aurait fait à son propre père ; elle lui fit retrouver son état antérieur, sa force, sa vigueur, sa beauté ; elle le transforma à tel point qu'une grâce
190 angélique se répandit sur ses traits. Il n'est plus maintenant l'être

---

1. ***Chancelait*** : voir note 3, p. 73.
2. ***Préjudice*** : voir note 3, p. 42.
3. ***Agrément*** : voir note 2, p. 92.

affamé et rongé par la gale[1] qu'il était ; il a retrouvé toute sa force et sa beauté. Maintenant il peut se lever de son lit.

La demoiselle lui a fait apporter une robe de chevalier, la plus belle qu'elle a pu trouver, et elle la lui fait revêtir à son lever. En
195 la passant, Lancelot se sent transporté de bonheur et aussi léger qu'un oiseau dans son vol. Il embrasse la demoiselle et lui dit avec une amicale tendresse :

« Amie, c'est à Dieu et à vous seule que je rends grâce de me retrouver ainsi en pleine santé. C'est grâce à vous que j'ai pu
200 échapper à ma prison ; aussi vous pouvez disposer à votre gré de mon cœur, de mon corps, de mes biens et de mon bras. Vous avez tant fait pour moi que je suis entièrement vôtre. Mais il y a bien longtemps que je n'ai pas paru à la cour d'Arthur, mon seigneur, qui m'a toujours grandement honoré, et j'aurais beau-
205 coup de choses à y faire. Ma douce et noble amie, j'aimerais vous prier au nom de notre amitié de m'accorder la permission de me rendre là-bas. Si cela ne vous ennuyait pas, j'aimerais beaucoup y aller.

– Lancelot, cher et tendre ami, j'y consens volontiers car je ne
210 désire en tous lieux et en tous temps que votre honneur et votre bien. »

Elle lui fait don d'un cheval merveilleux, le meilleur qu'on ait jamais vu, et Lancelot saute en selle sans même se servir des étriers. Il ne savait comment exprimer sa joie d'être de nouveau sur un
215 cheval. Alors, d'un cœur sincère, ils se recommandèrent mutuellement à Dieu[2] qui est la droiture même.

---

1. ***Gale*** : maladie de peau qui provoque des démangeaisons.
2. ***Ils se recommandèrent mutuellement à Dieu*** : ils réclamèrent l'un pour l'autre la bienveillance, la protection de Dieu.

13. Mort de Méléagant

Lancelot s'est mis en chemin, si heureux que, même s'il l'avait voulu, il n'aurait pu traduire, quelque effort qu'il y mette, la joie qu'il ressentait d'être ainsi sorti du piège dans lequel il croupissait. Mais bien souvent il murmure entre ses dents que c'est pour 5 son malheur que l'a ainsi tenu en prison l'infâme scélérat, indigne de sa caste[1], qui est maintenant bien trompé à son tour et digne de risée. « Malgré lui j'en suis sorti », se répète Lancelot et il jure par Celui qui créa l'univers qu'il n'y a aucun trésor de Babylone jusqu'à Gand contre lequel il laisserait Méléagant en vie s'il le 10 tenait entre ses mains, réduit à sa merci, car le scélérat lui a causé trop de préjudices ! Mais le sort fera qu'il sera dans peu de temps à même de mettre ses menaces à exécution. En effet ce même Méléagant, objet de sa colère et qu'il voudrait déjà tenir entre ses mains, était ce même jour venu à la cour d'Arthur sans que per-15 sonne ne l'eût mandé[2]. Dès son arrivée, il réclama avec une telle insistance monseigneur Gauvain qu'il fut conduit en sa présence. L'hypocrite scélérat lui demanda alors des nouvelles de Lancelot et si on l'avait retrouvé, comme s'il n'en savait rien ! Mais tout en croyant bien le savoir, il n'était que fort imparfaitement renseigné. 20 Gauvain lui répondit qu'en vérité il n'avait pas revu Lancelot et qu'il n'était pas revenu.

« Eh bien, puisqu'au moins je vous trouve vous, répliqua Méléagant, venez me tenir votre promesse car je n'attendrai pas plus longtemps.

---

1. ***Caste*** : classe sociale.
2. ***Ne l'eût mandé*** : ne l'eût appelé à venir.

25 – S'il plaît à Dieu, je vous paierai mes dettes avant peu à votre convenance, fit Gauvain. Je compte bien m'acquitter envers vous. Mais si, comme aux dés, nous jouons à qui fera le plus de points et que j'en fais plus que vous, Dieu m'en soit témoin, je ne m'arrêterai pas avant d'avoir raflé toute la somme mise en jeu ! »

30 Alors, sans plus attendre, Gauvain ordonna de dérouler un tapis sur le sol devant lui, ce que firent promptement[1] et sans maugréer[2] ses écuyers[3]. Ils prirent un tapis et l'étendirent là où il leur avait commandé. Gauvain monta dessus et sur-le-champ demanda aux valets qui se trouvaient auprès de lui, et qui étaient 35 encore en chemise, de l'armer. Ils étaient trois, ses cousins ou bien ses neveux, je ne sais trop, mais tous les trois bien appris et fort stylés. Ils l'armèrent parfaitement et avec un souci du détail tel que personne au monde n'aurait trouvé à redire quoi que ce soit à propos de leur travail. Quand ils l'eurent armé, l'un d'entre 40 eux alla lui chercher un destrier d'Espagne plus rapide à courir à travers les champs et les bois, les collines et les vallons que le fameux Bucéphale[4]. C'est sur ce magnifique cheval que monta Gauvain, le chevalier le plus renommé, le plus au fait des usages et le plus courtois de tous ceux qui furent jamais bénis. Il était sur 45 le point de se saisir de son écu lorsqu'il vit Lancelot, auquel il ne s'attendait guère, mettre pied à terre devant lui. Il resta bouche bée en le voyant aussi soudainement apparaître. Sans mentir, son apparition était pour Gauvain aussi miraculeuse que s'il était brusquement tombé des nues devant lui. Mais quand il est 50 certain que c'est bien lui, plus rien ne le retient de sauter à terre pour courir vers lui bras ouverts, le serrer contre son cœur et l'embrasser. D'avoir ainsi retrouvé son compagnon le remplit de

1. ***Promptement*** : sans tarder.
2. ***Maugréer*** : manifester son mécontentement, ronchonner.
3. ***Écuyers*** : voir note 3, p. 25.
4. ***Bucéphale*** : nom du cheval favori d'Alexandre le Grand, roi de Macédoine (356-323 av. J.-C.).

bonheur. Et croyez-moi, car c'est la pure vérité, Gauvain aurait alors sans hésitation refusé une couronne royale plutôt que de
55 n'avoir pas retrouvé son ami.

Déjà le roi est au courant ; déjà tous savent que Lancelot, que l'on a si longtemps attendu, est de retour sain et sauf, même si cela doit en chagriner certains. Tous laissent éclater leur joie et se rassemblent pour lui faire fête car toute la cour avait espéré son
60 retour depuis trop longtemps. Tous, quel que soit leur âge, jeunes ou vieux, manifestent leur allégresse[1]. Elle dissipe la tristesse qui régnait peu de temps auparavant. Le chagrin s'efface pour laisser place à la joie qui entraîne tous les cœurs. Et la reine ? Ne participe-t-elle pas à la joie générale ? Si, bien sûr, elle est au tout
65 premier rang !

Vous en doutez ? Grand Dieu, où pourrait-elle donc être ? Jamais elle n'éprouva un bonheur aussi intense que celui que lui procura le retour de Lancelot et elle serait restée à l'écart ! Non, elle est bien là ; elle est même si près de lui que peu s'en faut que
70 son corps – déjà si près – ne suive son cœur. Car son cœur où était-il ? Il couvrait Lancelot de caresses et de baisers. Et le corps, lui, pourquoi cachait-il ses impulsions ? Le bonheur éprouvé n'était-il pas parfait ? S'y mêlait-il un soupçon d'amertume et de dépit[2] ? Non, bien sûr. Il s'en fallait de beaucoup mais il aurait pu se faire
75 que quelqu'un, le roi ou quelque autre de ses compagnons qui avaient les yeux bien ouverts, découvre son secret si, devant tous, elle avait laissé son corps suivre les impulsions de son cœur. Si la raison n'avait pas refréné[3] sa folle ardeur et son désir passionné, tout le monde aurait été au courant de ses sentiments. C'eût été
80 une trop grande folie. C'est pourquoi la raison maîtrise les élans de son cœur et la violence de son désir ; elle lui fait reprendre ses esprits et repousser la libre manifestation de son amour à un peu

---

1. ***Allégresse*** : voir note 2, p. 77.
2. ***Dépit*** : voir note 2, p. 22.
3. ***Refréné*** : retenu, calmé.

plus tard quand elle aura trouvé un endroit plus propice et plus abrité des regards indiscrets où ils pourront se rejoindre dans de meilleures conditions que celles que leur offre le présent.

Le roi combla Lancelot de marques d'honneur et d'affection puis, après l'avoir ainsi chaleureusement accueilli, il lui demanda :

« Ami, il y a longtemps que je n'ai pas appris de quiconque des nouvelles qui m'ont autant réjoui que votre retour. Mais je me demande bien dans quel pays vous avez pu rester aussi longtemps. Pendant tout l'hiver et tout l'été je vous ai fait chercher partout et jamais personne n'a pu vous trouver.

– Sire, fit Lancelot, je peux vous dire en peu de mots tout ce qui m'est arrivé. Ce scélérat de Méléagant m'a retenu dans une prison dès le jour où tous les captifs exilés dans sa terre ont été libérés. Et il m'a fait mener une existence misérable dans une tour qui se trouve au bord de la mer. C'est là qu'il m'a fait enfermer et j'y mènerais encore une existence pitoyable sans le dévouement d'une amie à moi, une demoiselle à qui je rendis jadis un petit service. Elle m'a largement récompensé du modeste petit don que je lui avais fait car elle m'a prodigué de grands égards et des soins sans nombre. Quant à celui que je ne porte guère dans mon cœur, celui qui m'a infligé ce traitement honteux, je ne désire que lui payer son dû le plus rapidement possible. Il est venu le chercher ; il va l'avoir. Il ne faut pas qu'il l'attende trop longtemps puisqu'il est déjà prêt. Pour ma part, je suis tout aussi prêt. Fasse Dieu qu'il n'ait pas à s'en réjouir ! »

Alors Gauvain dit à Lancelot :

« Ami, laissez-moi payer votre dette à votre créancier [1], ce ne sera qu'une petite broutille et je suis déjà armé et en selle, tout prêt au combat comme vous pouvez le voir. Bel ami, ne me refusez pas cette faveur à laquelle je tiens beaucoup. »

Mais Lancelot lui répond qu'il préférerait se laisser arracher un œil, voire les deux, plutôt que d'accepter. Il jure que cela ne se passera

1. ***Créancier*** : personne envers laquelle on a des dettes.

115 pas ainsi. C'est lui qui a une dette et il la remboursera à Méléagant car il lui en a fait le serment. Gauvain voit bien que tout ce qu'il pourrait lui dire ne servirait à rien ; il quitte sa cotte de maille et se désarme. Sans plus attendre, Lancelot lui emprunte ses armes, tout impatient qu'il est de voir venu le moment de régler ses comptes. Il ne pourra 120 pas prendre de plaisir tant qu'il n'aura pas remboursé Méléagant qui n'en croit pas ses oreilles du miracle qui s'est produit devant lui. Peu s'en faut qu'il n'en perde la raison et sombre dans la folie.

« Certes, se dit-il, j'ai été bien fou de ne pas aller vérifier avant de venir ici que je retenais toujours prisonnier dans ma tour celui 125 qui vient maintenant de se jouer de moi. Mais, grand Dieu, pourquoi y serais-je allé ? Comment aurais-je pu croire qu'il pourrait s'en échapper ? Les murs ne sont-ils pas assez solidement bâtis et la tour suffisamment haute et inexpugnable[1] ? Et il n'y avait aucun trou ni aucune fissure par lesquels il aurait pu sortir sans 130 aide extérieure. Peut-être a-t-on révélé le secret de sa présence ? Supposons que les murs se soient fissurés et se soient écroulés d'un seul coup : n'aurait-il pas été tué et mis en pièces dans leur éboulement ? Si ! Par Dieu, la chute du mur aurait sans aucun doute entraîné sa mort. Et je suis persuadé qu'avant que ces murs 135 ne s'écroulent, il n'y aura plus une goutte d'eau dans la mer et ce sera la fin du monde ! À moins, bien sûr, que l'on abatte cette muraille de force ! Non, il en a été autrement : il ne s'est pas évadé tout seul ; on l'a aidé. Il ne s'est quand même pas envolé ! Il faut bien le reconnaître, j'ai été victime d'un complot ! Quoi qu'il en 140 soit, il est maintenant en liberté ! Si j'avais pris mes précautions en temps utile, rien de tout cela ne serait arrivé et il n'aurait pas réapparu à la cour. Mais il est bien tard pour m'en mordre les doigts. Le vilain, qui ne cherche jamais de faux-fuyants[2], rapporte dans ses proverbes une vérité indéniable[3] : il est trop tard pour

1. ***Inexpugnable*** : imprenable.
2. ***Faux-fuyants*** : excuses, échappatoires, prétextes.
3. ***Indéniable*** : incontestable, indiscutable.

145 fermer l'écurie quand le cheval a été volé ! Je sais bien qu'à présent je serai traîné dans la boue et méprisé si je ne supporte pas sans broncher de dures épreuves. Mais quelles seront ces épreuves et jusqu'où vais-je devoir souffrir ? Tant que je pourrai tenir, je mettrai tout mon cœur à lui résister avec l'aide de Dieu en 150 qui je crois. »

Ainsi il essaie de se réconforter et ne demande rien de plus que d'être conduit avec son adversaire sur le lieu du combat. Et il n'aura pas longtemps à attendre, à ce que je crois, car Lancelot, qui pense bien en venir rapidement à bout, vient déjà le chercher. 155 Mais avant qu'ils n'en viennent aux mains, le roi leur demanda à chacun de se rendre dans la lande au pied du donjon. Il n'y en avait pas de plus belle jusqu'en Irlande. Les deux combattants lui obéissent et s'y rendent rapidement. Le roi les suit, accompagné de toute sa cour en rangs serrés. Tout le monde sans exception y va. 160 La reine et maintes dames et maintes nobles et belles demoiselles vont s'installer aux fenêtres du donjon pour admirer Lancelot.

Il y avait dans la lande un sycomore [1] : on n'aurait pu en imaginer de plus beau. Son feuillage abondant ombrageait une large place et son pied était entouré d'un beau gazon dru [2] et frais 165 constamment vert. Sous ce magnifique sycomore planté au temps d'Abel [3] jaillissait une source dont l'eau limpide courait sur un lit de graviers si clairs et brillants qu'on les eût cru en pur argent. Son eau, autant que je sache, sortait par un conduit d'or pur et dévalait parmi la lande pour se perdre entre deux bois dans un 170 vallon. C'est là qu'il plut au roi de s'asseoir car il ne voyait là rien qui ne lui convînt. Il fit ensuite reculer ses gens bien en arrière. Et Lancelot fondit sur Méléagant avec l'impétuosité [4] de quelqu'un

---

1. ***Sycomore*** : figuier originaire d'Égypte.
2. ***Dru*** : épais.
3. ***Abel*** : dans la Bible, second fils d'Adam et Ève. Pasteur, il offre un agneau au Seigneur. Son frère Caïn, jaloux, le tue.
4. ***Impétuosité*** : fougue, violence.

qu'habite la haine. Mais avant de le frapper, il lui cria d'une voix terrible :

175 «Venez par ici, je vous lance un défi et sachez bien sans l'ombre d'un doute que je ne vous épargnerai pas ! »

Il éperonne alors son cheval et revient en arrière à une portée d'arc pour prendre du champ. Puis l'un et l'autre laissent la bride à leurs chevaux [1] pour se rencontrer au grand galop. Sous le choc, 180 les lances transpercent leurs solides écus mais ni l'un ni l'autre n'est blessé ni atteint dans sa chair lors de cette première passe d'armes. Leur élan les entraîne loin l'un de l'autre, mais sans perdre un instant, ils reviennent à fond de train échanger de nouveau de grands coups sur leurs robustes écus. Tous les deux sont 185 des combattants émérites [2] d'une force exceptionnelle et leurs chevaux rivalisent de puissance et de vitesse. Mais sous la violence répétée des coups, les lances, qui ne se sont pas brisées, ont traversé leurs écus et forcé le passage jusqu'à leur chair nue. Chacun, d'une poussée prodigieuse, a renversé son adversaire à 190 terre. Ni poitrail, ni sangle, ni étrier n'ont pu les empêcher de vider leur selle par-dessus la croupe des destriers et de tomber sur la terre nue. Les chevaux, en proie à une peur panique, galopent en tous sens, ruant et mordant, comme si l'un voulait tuer l'autre.

Les deux chevaliers tombés à terre se sont relevés d'un bond et 195 ont tiré leurs épées gravées à leur devise. Leur écu à hauteur du visage, ils ne songent désormais plus qu'à la manière dont ils pourront s'atteindre du tranchant de leurs épées d'acier. Mais Lancelot n'éprouvait aucune crainte car il avait deux fois plus de connaissances en escrime que Méléagant, pour l'avoir pratiquée dès son 200 enfance. Tous les deux s'assènent de grands coups sur les écus retenus à leur cou par une courroie et sur leurs heaumes lamés d'or qu'ils ont bien vite fendus et bosselés. Mais Lancelot presse

1. ***Laissent la bride à leurs chevaux*** : abandonnent toute bride aux chevaux, par conséquent ne les retiennent pas.
2. ***Combattants émérites*** : qui ont une longue pratique du combat.

de plus en plus Méléagant et, d'un coup magistral, il tranche le bras droit pourtant bardé de fer que l'imprudent avait laissé une
205 fraction de seconde à découvert devant son écu.

En se sentant ainsi blessé et privé de sa main droite, Méléagant se jure bien qu'il le fera payer cher à son adversaire. Si l'occasion lui en est donnée, rien ne l'empêchera de se venger. Il est si éperdu de douleur et de rage qu'il en perd presque la raison. De plus, il
210 ne donne pas cher de sa peau s'il ne réussit pas à prendre son adversaire par traîtrise. Il fond brusquement sur lui escomptant [1] le prendre en défaut. Mais Lancelot est sur ses gardes : d'un coup de son épée tranchante, il a fait au félon [2] une telle entaille au moment où il se ruait sur lui, qu'il n'en guérira pas avant qu'au
215 moins avril et mai soient passés : il lui a fait rentrer le nasal [3] dans les dents en lui en brisant au moins trois. Dans sa souffrance et sa colère, Méléagant ne peut prononcer un seul mot et il se refuse à implorer la pitié car son cœur abruti par l'orgueil qui le régente [4] encore le lui interdit. Lancelot s'approche de lui, lui délace le
220 heaume et lui tranche la tête. Jamais plus Méléagant ne le fera tomber dans ses pièges : il tombe mort. C'en est fait de lui. Et je peux bien vous l'assurer, aucun des spectateurs ayant assisté à sa fin n'éprouva pour lui la moindre pitié. Au contraire, le roi et tous ceux qui étaient là laissèrent éclater leur joie. Ceux que la mort de
225 Méléagant avait le plus comblé de bonheur désarmèrent Lancelot et ils lui firent un joyeux cortège.

Seigneur, si je poursuivais mon récit, je sortirais de mon sujet. C'est pourquoi je m'apprête à le clore : c'est ici que prend fin le roman. Godefroi de Leigni, le clerc, a mené à son terme *Le*
230 *Chevalier de la charrette*. Que personne ne le blâme s'il a ajouté sa pierre à l'œuvre de Chrétien car il ne l'a fait qu'avec le plein

1. ***Escomptant*** : espérant.
2. ***Félon*** : traître.
3. ***Nasal*** : partie du casque du chevalier protégeant le nez.
4. ***Régente*** : gouverne.

accord de celui-ci qui avait commencé le récit. Son apport commence au moment où Lancelot est emprisonné dans la tour et s'achève avec la fin du conte. Telle est sa part personnelle et il 235 ne veut plus rien y ajouter ou en retrancher de peur de dénaturer le récit.

Ainsi s'achève le roman de Lancelot, le chevalier de la charrette.

Lancelot

Le personnage de Lancelot n'est pas uniquement le héros du récit de Chrétien de Troyes : il est également celui d'autres romans, postérieurs et en prose cette fois. On y apprend que, enfant, Lancelot a été enlevé par la Dame du Lac, la fée Viviane, qui l'a plongé dans un étang magique (c'est à cet épisode qu'il doit son surnom « Lancelot du Lac »), qui lui a enseigné la morale chevaleresque et a fait de lui un parfait chevalier.

Lancelot, adulte, tombe sous le charme de la reine Guenièvre, la femme du roi Arthur. Après avoir essuyé les refus de cette dernière, Lancelot devient son amant et les nombreux exploits qu'il accomplit sont motivés par l'amour qu'il lui porte. Pourtant, abusé par un philtre, il donne un fils, Galaad, le futur conquérant du graal, à une fille de roi. La jalousie de Guenièvre est telle qu'elle fait perdre la raison à notre chevalier. Il erre un temps dans la forêt avant de guérir de son mal et de prendre conscience de sa vulnérabilité et de son péché ; il rencontre un ermite, se confesse à lui et promet de renoncer à son amour pour la reine. Il vit dans la pénitence, mais ses vertus retrouvées ne suffisent pas à faire de lui l'un des chevaliers élus pour poursuivre la quête du graal. Il retombe par la suite dans l'adultère, mais le roi Arthur découvre sa liaison avec la reine. Lancelot réussit à sauver sa bien-aimée du bûcher et s'enfuit en « Petite » Bretagne (notre Armorique). Arthur le poursuit et l'assaille jusque dans sa forteresse ; il lève cependant ce siège lorsqu'il apprend que son neveu Modred s'est emparé de sa résidence Camaalot et que, ayant fait courir le bruit de la mort du roi en campagne, il tente de forcer Guenièvre à l'épouser.

Lancelot renonce finalement à la reine et, en bon chevalier, reprend les combats pour défendre son roi.

Après la mort d'Arthur dans une bataille, la reine se retire au couvent. Quant à Lancelot, il venge la mort de son roi et termine sa vie dans la pénitence en devenant ermite. Lorsqu'il meurt, les anges portent son âme au paradis, preuve qu'il est lavé de tous ses péchés. ■

DOSSIER

- Êtes-vous un lecteur attentif ?
- Qui parle ?
- Qui suis-je ?
- Les dix erreurs
- Chassez l'intrus
- Mots mêlés
- La légende du roi Arthur au cinéma

Êtes-vous un lecteur attentif ?

Après avoir lu l'ensemble du volume, choisissez la bonne réponse parmi les propositions suivantes :

1. Qu'est-ce qu'un trouvère au Moyen Âge ?

A. un clerc
B. un moine
C. un poète

2. Qu'est-ce qu'un octosyllabe en poésie ?

A. un vers de huit syllabes
B. un vers de dix syllabes
C. un vers de douze syllabes

3. Qu'est-ce qu'une chanson de geste ?

A. une chanson accompagnée d'une gestuelle
B. un récit de chevalerie déclamé par des jongleurs
C. une poésie amoureuse du Moyen Âge

4. À qui s'adresse le roman courtois ?

A. à un public populaire
B. aux enfants
C. à un public raffiné

5. À qui Chrétien de Troyes dédicace-t-il *Lancelot ou le Chevalier de la charrette* ?

A. à sa protectrice, Marie de Champagne
B. à toute sa famille
C. à sa bien-aimée

6. Qui enlève la reine au début de l'histoire ?

A. Keu
B. Méléagant
C. Gauvain

7. À quoi servait la charrette au Moyen Âge ?

A. à transporter de la nourriture pour le seigneur
B. à transporter les malfaiteurs à travers la ville
C. à transporter les gens qui n'avaient pas les moyens de louer un cheval

8. Pourquoi le gué est-il qualifié de « périlleux » ?

A. parce qu'il est situé dans une zone dangereuse
B. parce que Lancelot y est victime d'un enchantement
C. parce qu'un chevalier armé de toutes pièces le garde et interdit à quiconque d'y entrer

9. Où Lancelot cherche-t-il d'abord à aller ?

A. au Pont-de-l'épée
B. au Pont-sous-les-eaux
C. à la cour du roi Arthur

10. Qui est Baudemagus ?

A. le frère du roi Arthur
B. le roi de Gorre
C. l'amant de Guenièvre

11. Pourquoi Lancelot épargne-t-il Méléagant quand il combat contre lui la première fois ?

A. parce que la reine a accédé à la demande de Baudemagus et que Lancelot désire plaire à la reine
B. parce que Méléagant le supplie
C. parce Lancelot ne veut pas tuer un homme désarmé et à terre

12. Pourquoi la reine se montre-t-elle froide quand elle voit Lancelot la première fois ?

A. parce qu'il a tardé à monter dans la charrette
B. parce qu'il n'a pas respecté les règles élémentaires de courtoisie
C. parce qu'il est monté dans la charrette

13. Pourquoi Lancelot cherche-t-il à mourir ?

A. parce qu'il ne peut supporter la froideur de la reine
B. parce que la reine, se fiant à de fausses nouvelles lui annonçant la mort de Lancelot, désire attenter à sa vie
C. parce qu'il a perdu un combat contre Méléagant

14. **Comment Lancelot réussit-il à pénétrer dans la chambre de Guenièvre ?**

A. en soudoyant les gardiens
B. en écartant de ses mains les barreaux de la fenêtre
C. en profitant de l'assoupissement des gardiens

15. **Avec qui Méléagant pense-t-il que Guenièvre a passé la nuit ?**

A. avec Keu
B. avec Baudemagus
C. avec Lancelot

16. **Pourquoi Lancelot disparaît-il une seconde fois ?**

A. parce qu'il a été enlevé
B. parce qu'il refuse de revoir la reine
C. parce qu'il craint Méléagant

17. **Quelle est la dernière perfidie de Méléagant ?**

A. enlever Guenièvre
B. faire construire une tour immense pour y tenir Lancelot prisonnier
C. ridiculiser Lancelot en réclamant auprès du roi Arthur le combat que le chevalier lui avait promis

18. **Qui parvient à libérer Lancelot de sa prison ?**

A. la sœur de Méléagant
B. Gauvain
C. un jeune homme qui passait près de la tour

19. **Qui tue finalement Méléagant ?**

A. Lancelot
B. Gauvain
C. Baudemagus

20. **Qui a achevé l'écriture de *Lancelot ou le Chevalier de la charrette* ?**

A. Chrétien de Troyes
B. Godefroi de Leigni
C. Wace

Qui parle ?

Sans regarder le texte, attribuez chacune des répliques suivantes à un personnage de l'histoire :

1. « Si tu veux monter dans la charrette que je conduis, d'ici demain tu pourras savoir ce que la reine est devenue. »

....

2. « Ce n'est surtout pas à vous de poser des questions. Tout chevalier qui est monté sur une charrette est déshonoré à jamais et il ne lui est pas permis de se mêler d'adresser de telles requêtes et encore moins de s'étendre sur ce lit car il pourrait sans tarder chèrement le payer. Je ne l'ai pas fait dresser aussi luxueusement pour que vous vous y couchiez. Même si vous n'en aviez que l'intention, cela pourrait vous coûter cher ! »

....

3. « Ne m'avez-vous pas tenu pour moins que rien lorsque par trois fois je vous ai interdit d'entrer dans le gué et encore en hurlant autant que je l'ai pu ? Vous avez fort bien entendu mon défi au moins deux fois si ce n'est trois. Et pourtant malgré mon interdiction et ma menace de vous frapper dès que je vous verrais franchir le gué, vous êtes entré dans l'eau ! »

....

4. « Chevalier, je suis venue de très loin en me hâtant pour te demander un don et tu en auras une récompense aussi grande que je pourrai te la donner car je pense qu'un jour tu auras besoin de mon aide. »

....

5. « Si tu le veux, tu passeras la rivière sans peine et sans douleur car je te ferai traverser dans une barque. Mais, quand je t'aurai conduit sur l'autre bord, s'il me plaît de te réclamer un péage, alors je pourrai à mon gré te prendre ou non la tête. Il n'en tiendra qu'à moi. »

....

6. « Hélas ! où avais-je donc la tête quand mon tendre ami s'est présenté devant moi et que je n'ai même pas daigné lui faire un bon accueil et l'écouter un instant ? N'ai-je pas agi comme une folle en refusant de le regarder et de lui parler ? seulement comme une folle ? Dieu me le pardonne, ce fut bien plutôt de ma part une cruauté injuste et gratuite ! »

....

7. « Cela me chagrine de te voir te comporter aussi bêtement. Mais si tu dédaignes mon conseil, j'en serai d'autant moins affecté si tu t'en mords les doigts. Il pourrait d'ailleurs en résulter pour toi un grand malheur car ce chevalier n'aura personne à redouter, excepté toi. En ce qui me concerne, et j'y engagerai tous mes hommes, je lui accorde une totale sauvegarde. »

....

8. « Ah ! Fortune, comme ta roue a vilainement tourné pour moi ! Tu l'as méchamment fait retomber car j'étais à son sommet et je suis maintenant tout au bas ; je nageais dans le bonheur et maintenant je me noie dans la souffrance ; maintenant tu me boudes alors qu'hier tu me souriais. Hélas ! pauvre infortuné, pourquoi te fiais-tu à elle qui t'a si vite abandonné ! Il lui a fallu bien peu de temps pour me précipiter de si haut vers le bas. »

....

9. « Êtes-vous en train de rêver ou de délirer tout éveillé pour dire que je suis fou quand je vous raconte ce qui fait ma vie ? Je pensais être venu à vous comme à mon père et à mon seigneur mais il ne me semble guère qu'il en soit ainsi car vous m'insultez plus vilainement qu'à mon avis vous n'en avez le droit. »

....

Qui suis-je ?

Retrouvez les noms des personnages de *Lancelot ou le Chevalier de la charrette* :

1. Je suis un être malfaisant qui n'hésite pas à déshonorer Lancelot en le faisant monter dans la charrette de la honte.

Qui suis-je ? ....

2. Le chevalier de la charrette est tombé sous mon charme au point de n'être plus maître de lui-même. Je pense être aussi amoureuse de lui mais je n'en ai pas le droit.

Qui suis-je ? ....

3. Je ne supporte pas la renommée de Lancelot et je n'aspire par conséquent qu'à la vengeance en usant parfois de supercheries pour parvenir à mes fins.

Qui suis-je ? ....

4. Je suis le sénéchal du roi Arthur et je n'ai pas réussi à relever le défi imposé par le fils du roi de Gorre, ce qui m'a bien couvert de honte.

Qui suis-je ? ....

5. J'ai combattu contre Lancelot parce que j'ai osé lui réclamer un tribut pour traverser la rivière du Pont-de-l'épée. C'est une demoiselle qui a insisté auprès de lui pour me voir mourir.

Qui suis-je ? ....

6. J'ai dû abandonner Lancelot quelque temps et c'est avec désespoir que j'ai appris sa disparition. Quel soulagement lorsque je l'ai retrouvé sain et sauf ! J'ai failli perdre un ami très cher.

Qui suis-je ? ....

Les dix erreurs

Un élève de cinquième a résumé les aventures de Lancelot, mais il a commis quelques erreurs, dix exactement ; pouvez-vous les retrouver ?

« Pendant les fêtes de Pâques, Méléagant se rend à la cour du roi Marc pour lancer un défi que personne ne réussit à relever. Il enlève alors la reine Guenièvre et une de ses servantes. Gauvain, le cousin du roi, et d'autres chevaliers entreprennent de la délivrer : parmi eux se trouve Lancelot qui s'expose au ridicule de monter sur une charrette qui transporte des cochons. Après de nombreuses péripéties, celui-ci parvient à libérer la reine des mains de Méléagant. Mais Guenièvre, au lieu de le remercier, ne veut plus le voir. Le chevalier, désespéré, cherche alors à se suicider en se jetant dans une rivière. De son côté, la reine souffre aussi et se laisse à son tour mourir d'amour. Pourtant, après s'être blessé en escaladant la muraille de la tour de la reine, Lancelot rejoint sa bien-aimée dans sa chambre. Mais il laisse, hélas, des traces de sang dans le lit royal : Méléagant accuse la reine d'adultère avec Lancelot. Ce dernier cherche alors à défendre l'honneur de Guenièvre en combattant contre cet accusateur qui réussira, par la suite, à le faire enlever : Lancelot est enfermé dans une haute tour sans fenêtre, à l'abri des regards. Cependant Gauvain, qui passe par là, entend les plaintes du prisonnier et le délivre. De retour à la cour du roi, Lancelot peut enfin se venger de son bourreau et lui faire payer toutes ses traîtrises, en le tuant sans aucune pitié. »

Chassez l'intrus

Dans chacune des listes suivantes, un intrus s'est glissé. Repérez-le et rayez-le :

1. Quel lieu n'appartient pas à l'histoire ?

A. Gorre
B. Brocéliande
C. Pont-de-l'épée
D. Carlion

2. Quel est l'intrus parmi les personnages suivants ?

A. Arthur
B. Baudemagus
C. Gauvain
D. Lancelot

3. Quel est l'intrus parmi les termes suivants ?

A. heaume
B. chausse
C. courtepointe
D. écu

4. Quel est l'intrus parmi les termes suivants ?

A. destrier
B. petit-gris
C. monture
D. palefroi

Mots mêlés

Dans la grille ci-dessous, retrouvez (verticalement, horizontalement et en diagonale, en montant ou en descendant) le nom des personnages de ce récit, ainsi que des termes qui se rapportent à leur fonction ou à leur catégorie sociale (vingt-deux mots y sont inscrits) :

D	E	M	O	I	S	E	L	L	E	N	I	A	N
A	L	G	T	O	E	P	U	E	S	A	Z	O	T
M	B	A	P	R	N	A	F	I	W	P	R	C	L
E	P	U	L	O	E	R	O	G	L	A	U	P	A
O	G	V	E	P	C	T	S	N	B	P	N	R	N
C	H	A	B	S	H	H	E	I	C	V	S	E	C
T	Q	I	H	O	A	U	E	T	U	D	G	I	E
N	Y	N	T	A	L	R	I	V	K	E	U	N	L
A	Z	E	C	S	P	K	A	Q	A	M	E	E	O
G	T	R	O	Y	E	S	V	S	I	L	N	R	T
A	L	E	M	T	S	I	G	A	R	D	I	E	N
E	S	U	G	A	M	E	D	U	A	B	E	E	K
L	S	Q	L	P	V	L	A	G	L	S	V	P	R
E	L	L	E	C	U	P	V	L	O	W	R	X	B
M	W	T	C	H	A	M	P	A	G	N	E	A	M

La légende du roi Arthur au cinéma

La légende du roi Arthur a inspiré de nombreux réalisateurs qui l'ont adaptée au cinéma. C'est le cas notamment de Jerry Zucker, avec son film *Lancelot*, de Richard Thorpe, avec *Les Chevaliers de la Table Ronde*, et de John Boorman avec *Excalibur*.

■ Richard Gere dans le rôle de Lancelot pour le film de Jerry Zucker, *Lancelot* (1998).

© Christophel.

■ Sean Connery (le roi Arthur) et Julia Ormond (la reine Guenièvre) dans *Lancelot* de Jerry Zucker (1998).

© Christophel.

■ *Les Chevaliers de la Table Ronde*, par Richard Thorpe (1954). En présence de Merlin, les chevaliers tentent d'extraire Excalibur de son socle.

■ *Excalibur*, par John Boorman (1981). Seul Arthur parvient à s'emparer de l'épée magique qui fait de lui un roi.

Notes et citations

Notes et citations

Notes et citations

Notes et citations

Notes et citations

Notes et citations

Notes et citations

Dernières parutions

ALAIN-FOURNIER
Le Grand Meaulnes

ANOUILH
La Grotte

ASIMOV
Le Club des Veufs noirs

BALZAC
Le Père Goriot

BAUDELAIRE
Les Fleurs du mal – *Nouvelle édition*

BAUM (L. FRANK)
Le Magicien d'Oz

BEAUMARCHAIS
Le Mariage de Figaro

BELLAY (DU)
Les Regrets

BORDAGE (PIERRE)
Nouvelle vie™ et autres récits

CARRIÈRE (JEAN-CLAUDE)
La Controverse de Valladolid

CATHRINE (ARNAUD)
Les Yeux secs

CERVANTÈS
Don Quichotte

« C'EST À CE PRIX QUE VOUS MANGEZ DU SUCRE... » Les discours sur l'esclavage d'Aristote à Césaire

CHEDID (ANDRÉE)
Le Message
Le Sixième Jour

CHRÉTIEN DE TROYES
Lancelot ou le Chevalier de la charrette
Perceval ou le Conte du graal
Yvain ou le Chevalier au lion

CLAUDEL (PHILIPPE)
Les Confidents et autres nouvelles

COLETTE
Le Blé en herbe

COLIN (FABRICE)
Projet oXatan

CONTES DE SORCIÈRES
Anthologie

CONTES DE VAMPIRES
Anthologie

CORNEILLE
Le Cid – *Nouvelle édition*

DIDEROT
Entretien d'un père avec ses enfants

DUMAS
Pauline
Robin des bois

FENWICK (JEAN-NOËL)
Les Palmes de M. Schutz

FEYDEAU
Un fil à la patte

FEYDEAU-LABICHE
Deux courtes pièces autour du mariage

GARCIN (CHRISTIAN)
Vies volées

GRUMBERG (JEAN-CLAUDE)
L'Atelier
Zone libre

HIGGINS (COLIN)
Harold et Maude – *Adaptation de Jean-Claude Carrière*

HOBB (ROBIN)
Retour au pays

HUGO
L'Intervention, *suivie de* La Grand'mère
Les Misérables – *Nouvelle édition*

JONQUET (THIERRY)
La Vigie

KAPUŚCIŃSKI
Autoportrait d'un reporter

KRESSMANN TAYLOR
Inconnu à cette adresse

LA FONTAINE
Fables – *lycée*
Le Corbeau et le Renard et autres fables – *collège*

LAROUI (FOUAD)
L'Oued et le Consul et autres nouvelles

LEBLANC
L'Aiguille creuse

LONDON (JACK)
L'Appel de la forêt

MARIVAUX
La Double Inconstance
L'Île des esclaves
Le Jeu de l'amour et du hasard

MAUPASSANT
Le Horla
Le Papa de Simon
Toine et autres contes normands
Une partie de campagne et autres nouvelles au bord de l'eau
Bel-Ami

MÉRIMÉE
La Vénus d'Ille – *Nouvelle édition*

MIANO (LÉONORA)
Afropean Soul et autres nouvelles

MOLIÈRE
L'Amour médecin. Le Sicilien ou l'Amour peintre
L'Avare – *Nouvelle édition*
Le Bourgeois gentilhomme – *Nouvelle édition*
Dom Juan
Les Fourberies de Scapin – *Nouvelle édition*
Le Médecin malgré lui – *Nouvelle édition*
Le Médecin volant. La Jalousie du Barbouillé
Le Misanthrope
Le Tartuffe
Le Malade imaginaire – *Nouvelle édition*

MONTAIGNE
Essais

NOUVELLES FANTASTIQUES 2
Je suis d'ailleurs et autres récits

PERRAULT
Contes – *Nouvelle édition*

PRÉVOST
Manon Lescaut

RACINE
Phèdre
Andromaque

RADIGUET
Le Diable au corps

RÉCITS POUR AUJOURD'HUI
17 fables et apologues contemporains

RIMBAUD
Poésies

LE ROMAN DE RENART – *Nouvelle édition*

ROUSSEAU
Les Confessions

SALM (CONSTANCE DE)
Vingt-quatre heures d'une femme sensible

SCÈNES DE LA VIE CONJUGALE
Le couple au théâtre, de Shakespeare à Yasmina Reza

STENDHAL
L'Abbesse de Castro

STOKER
Dracula

LES TEXTES FONDATEURS
Anthologie

TRISTAN ET ISEUT

TROIS CONTES PHILOSOPHIQUES
(Diderot, Saint-Lambert, Voltaire)

VERLAINE
Fêtes galantes, Romances sans paroles *précédées de* Poèmes saturniens

VERNE
Un hivernage dans les glaces

VOLTAIRE
Candide – *Nouvelle édition*

WESTLAKE (DONALD)
Le Couperet

ZOLA
Comment on meurt
Jacques Damour
Thérèse Raquin

ZWEIG
Le Joueur d'échecs

Les classiques et les contemporains dans la même collection

ALAIN-FOURNIER
Le Grand Meaulnes

ANDERSEN
La Petite Fille et les allumettes et autres contes

ANOUILH
La Grotte

APULÉE
Amour et Psyché

ASIMOV
Le Club des Veufs noirs

AUCASSIN ET NICOLETTE

BALZAC
Le Bal de Sceaux
Le Chef-d'œuvre inconnu
Le Colonel Chabert
Ferragus
Le Père Goriot
La Vendetta

BARBEY D'AUREVILLY
Les Diaboliques – Le Rideau cramoisi, Le Bonheur dans le crime

BARRIE
Peter Pan

BAUDELAIRE
Les Fleurs du mal – *Nouvelle édition*

BAUM (L. FRANK)
Le Magicien d'Oz

BEAUMARCHAIS
Le Mariage de Figaro

BELLAY (DU)
Les Regrets

LA BELLE ET LA BÊTE ET AUTRES CONTES

BERBEROVA
L'Accompagnatrice

BERNARDIN DE SAINT-PIERRE
Paul et Virginie

LA BIBLE
Histoire d'Abraham
Histoire de Moïse

BOVE
Le Crime d'une nuit. Le Retour de l'enfant

BRADBURY
L'Homme brûlant et autres nouvelles

CARRIÈRE (JEAN-CLAUDE)
La Controverse de Valladolid

CARROLL
Alice au pays des merveilles

CERVANTÈS
Don Quichotte

CHAMISSO
L'Étrange Histoire de Peter Schlemihl

LA CHANSON DE ROLAND

CATHRINE (ARNAUD)
Les Yeux secs

CHATEAUBRIAND
Mémoires d'outre-tombe

CHEDID (ANDRÉE)
L'Enfant des manèges et autres nouvelles
Le Message
Le Sixième Jour

CHRÉTIEN DE TROYES
Lancelot ou le Chevalier de la charrette
Perceval ou le Conte du graal
Yvain ou le Chevalier au lion

CLAUDEL (PHILIPPE)
Les Confidents et autres nouvelles

COLETTE
Le Blé en herbe

COLIN (FABRICE)
Projet oXatan

COLLODI
Pinocchio

CORNEILLE
Le Cid – *Nouvelle édition*

DAUDET
Aventures prodigieuses de Tartarin de Tarascon
Lettres de mon moulin

DEFOE
Robinson Crusoé

DIDEROT
Entretien d'un père avec ses enfants

Jacques le Fataliste
Le Neveu de Rameau
Supplément au Voyage de Bougainville

DOYLE
Trois Aventures de Sherlock Holmes

DUMAS
Le Comte de Monte-Cristo
Pauline
Robin des Bois
Les Trois Mousquetaires, t. 1 et 2

FABLIAUX DU MOYEN ÂGE
LA FARCE DE MAÎTRE PATHELIN
LA FARCE DU CUVIER ET AUTRES FARCES DU MOYEN ÂGE

FENWICK (JEAN-NOËL)
Les Palmes de M. Schutz

FERNEY (ALICE)
Grâce et Dénuement

FEYDEAU
Un fil à la patte

FEYDEAU-LABICHE
Deux courtes pièces autour du mariage

FLAUBERT
La Légende de saint Julien l'Hospitalier
Un cœur simple

GARCIN (CHRISTIAN)
Vies volées

GAUTIER
Le Capitaine Fracasse
La Morte amoureuse. La Cafetière et autres nouvelles

GOGOL
Le Nez. Le Manteau

GRAFFIGNY (MME DE)
Lettres d'une péruvienne

GRIMM
Le Petit Chaperon rouge et autres contes

GRUMBERG (JEAN-CLAUDE)
L'Atelier
Zone libre

HIGGINS (COLIN)
Harold et Maude – *Adaptation de Jean-Claude Carrière*

HOBB (ROBIN)
Retour au pays

HOFFMANN
L'Enfant étranger
L'Homme au Sable
Le Violon de Crémone. Les Mines de Falun

HOLDER (ÉRIC)
Mademoiselle Chambon

HOMÈRE
Les Aventures extraordinaires d'Ulysse
L'Iliade
L'Odyssée

HUGO
Claude Gueux
L'Intervention *suivie de* La Grand'mère
Le Dernier Jour d'un condamné
Les Misérables – *Nouvelle édition*
Notre-Dame de Paris
Quatrevingt-treize
Le roi s'amuse
Ruy Blas

JAMES
Le Tour d'écrou

JARRY
Ubu Roi

JONQUET (THIERRY)
La Vigie

KAFKA
La Métamorphose

KAPUŚCIŃSKI
Autoportrait d'un reporter

KRESSMANN TAYLOR
Inconnu à cette adresse

LABICHE
Un chapeau de paille d'Italie

LA BRUYÈRE
Les Caractères

LEBLANC
L'Aiguille creuse

LONDON (JACK)
L'Appel de la forêt

MME DE LAFAYETTE
La Princesse de Clèves

LA FONTAINE
Le Corbeau et le Renard et autres fables – *Nouvelle édition des* Fables, *collège*
Fables, *lycée*

LANGELAAN (GEORGE)
La Mouche. Temps mort

LAROUI (FOUAD)
L'Oued et le Consul et autres nouvelles

LE FANU (SHERIDAN)
Carmilla

LEROUX
Le Mystère de la Chambre Jaune
Le Parfum de la dame en noir

LOTI
Le Roman d'un enfant

MARIVAUX
La Double Inconstance
L'Île des esclaves
Le Jeu de l'amour et du hasard

MATHESON (RICHARD)
Au bord du précipice et autres nouvelles
Enfer sur mesure et autres nouvelles

MAUPASSANT
Bel-Ami
Boule de suif
Le Horla et autres contes fantastiques
Le Papa de Simon et autres nouvelles
La Parure et autres scènes de la vie parisienne
Toine et autres contes normands
Une partie de campagne et autres nouvelles au bord de l'eau

MÉRIMÉE
Carmen
Mateo Falcone. Tamango
La Vénus d'Ille – *Nouvelle édition*

MIANO (LÉONORA)
Afropean Soul et autres nouvelles

LES MILLE ET UNE NUITS
Ali Baba et les quarante voleurs
Le Pêcheur et le Génie. Histoire de Ganem
Sindbad le marin

MOLIÈRE
L'Amour médecin. Le Sicilien ou l'Amour peintre
L'Avare – *Nouvelle édition*
Le Bourgeois gentilhomme – *Nouvelle édition*
Dom Juan
L'École des femmes
Les Femmes savantes
Les Fourberies de Scapin – *Nouvelle édition*
George Dandin
Le Malade imaginaire – *Nouvelle édition*
Le Médecin malgré lui
Le Médecin volant. La Jalousie du Barbouillé
Le Misanthrope
Les Précieuses ridicules
Le Tartuffe

MONTAIGNE
Essais

MONTESQUIEU
Lettres persanes

MUSSET
Il faut qu'une porte soit ouverte ou fermée. Un caprice
On ne badine pas avec l'amour

OVIDE
Les Métamorphoses

PASCAL
Pensées

PERRAULT
Contes – *Nouvelle édition*

PIRANDELLO
Donna Mimma et autres nouvelles
Six Personnages en quête d'auteur

POE
Le Chat noir et autres contes fantastiques
Double Assassinat dans la rue Morgue. La Lettre volée

POUCHKINE
La Dame de pique et autres nouvelles

PRÉVOST
Manon Lescaut

PROUST
Combray

RABELAIS
Gargantua
Pantagruel

RACINE
Phèdre
Andromaque

RADIGUET
Le Diable au corps

RÉCITS DE VOYAGE
Le Nouveau Monde (Jean de Léry)
Les Merveilles de l'Orient (Marco Polo)

RENARD
Poil de Carotte

RIMBAUD
Poésies

ROBERT DE BORON
Merlin

ROMAINS
L'Enfant de bonne volonté

LE ROMAN DE RENART – *Nouvelle édition*

ROSTAND
Cyrano de Bergerac

ROUSSEAU
Les Confessions

SALM (CONSTANCE DE)
Vingt-quatre heures d'une femme sensible

SAND
Les Ailes de courage
Le Géant Yéous

SAUMONT (ANNIE)
Aldo, mon ami et autres nouvelles
La guerre est déclarée et autres nouvelles

SCHNITZLER
Mademoiselle Else

SÉVIGNÉ (MME DE)
Lettres

SHAKESPEARE
Macbeth
Roméo et Juliette

SHELLEY (MARY)
Frankenstein

STENDHAL
L'Abbesse de Castro
Vanina Vanini. Le Coffre et le Revenant

STEVENSON
Le Cas étrange du Dr Jekyll et de M. Hyde
L'Île au trésor

STOKER
Dracula

SWIFT
Voyage à Lilliput

TCHÉKHOV
La Mouette
Une demande en mariage et autres pièces en un acte

TITE-LIVE
La Fondation de Rome

TOURGUÉNIEV
Premier Amour

TRISTAN ET ISEUT

TROYAT (HENRI)
Aliocha

VALLÈS
L'Enfant

VERLAINE
Fêtes galantes, Romances sans paroles *précédé de* Poèmes saturniens

VERNE
Le Tour du monde en 80 jours
Un hivernage dans les glaces

VILLIERS DE L'ISLE-ADAM
Véra et autres nouvelles fantastiques

VIRGILE
L'Énéide

VOLTAIRE
Candide – *Nouvelle édition*
L'Ingénu
Jeannot et Colin. Le monde comme il va
Micromégas
Zadig – *Nouvelle édition*

WESTLAKE (DONALD)
Le Couperet

WILDE
Le Fantôme de Canterville et autres nouvelles

ZOLA
Comment on meurt
Germinal
Jacques Damour
Thérèse Raquin

ZWEIG
Le Joueur d'échecs

Les anthologies dans la même collection

AU NOM DE LA LIBERTÉ
Poèmes de la Résistance
L'AUTOBIOGRAPHIE
BAROQUE ET CLASSICISME
LA BIOGRAPHIE
BROUILLONS D'ÉCRIVAINS
Du manuscrit à l'œuvre
« C'EST À CE PRIX QUE VOUS MANGEZ DU SUCRE... » Les discours sur l'esclavage d'Aristote à Césaire
CETTE PART DE RÊVE QUE CHACUN PORTE EN SOI
CEUX DE VERDUN
Les écrivains et la Grande Guerre
LES CHEVALIERS DU MOYEN ÂGE
CONTES DE SORCIÈRES
CONTES DE VAMPIRES
LE CRIME N'EST JAMAIS PARFAIT
Nouvelles policières 1
DE L'ÉDUCATION
Apprendre et transmettre de Rabelais à Pennac
LE DÉTOUR
FAIRE VOIR : QUOI, COMMENT, POUR QUOI ?
FÉES, OGRES ET LUTINS
Contes merveilleux 2
LA FÊTE
GÉNÉRATION(S)
LES GRANDES HEURES DE ROME
L'HUMANISME ET LA RENAISSANCE
IL ÉTAIT UNE FOIS
Contes merveilleux 1
LES LUMIÈRES
LES MÉTAMORPHOSES D'ULYSSE
Réécritures de L'*Odyssée*
MONSTRES ET CHIMÈRES
MYTHES ET DIEUX DE L'OLYMPE
NOIRE SÉRIE...
Nouvelles policières 2
NOUVELLES DE FANTASY 1
NOUVELLES FANTASTIQUES 1
Comment Wang-Fô fut sauvé et autres récits
NOUVELLES FANTASTIQUES 2
Je suis d'ailleurs et autres récits
ON N'EST PAS SÉRIEUX QUAND ON A QUINZE ANS Adolescence et littérature
PAROLES DE LA SHOAH
PAROLES, ÉCHANGES, CONVERSATIONS ET RÉVOLUTION NUMÉRIQUE
LA PEINE DE MORT
De Voltaire à Badinter
POÈMES DE LA RENAISSANCE
POÉSIE ET LYRISME
LE PORTRAIT
RACONTER, SÉDUIRE, CONVAINCRE
Lettres des XVIIe et XVIIIe siècles
RÉALISME ET NATURALISME
RÉCITS POUR AUJOURD'HUI
17 fables et apologues contemporains
RIRE : POUR QUOI FAIRE ?
RISQUE ET PROGRÈS
ROBINSONNADES
De Defoe à Tournier
LE ROMANTISME
SCÈNES DE LA VIE CONJUGALE
Le couple au théâtre, de Shakespeare à Yasmina Reza
LE SURRÉALISME
LA TÉLÉ NOUS REND FOUS !
LES TEXTES FONDATEURS
TROIS CONTES PHILOSOPHIQUES
Diderot, Saint-Lambert, Voltaire
TROIS NOUVELLES NATURALISTES
Huysmans, Maupassant, Zola
VIVRE AU TEMPS DES ROMAINS
VOYAGES EN BOHÈME
Baudelaire, Rimbaud, Verlaine

Imprimé à Barcelone par:
BLACK PRINT
en novembre 2018

Création maquette intérieure :
Sarbacane Design.

Composition : IGS-CP.
N° d'édition : L.01EHRN000454.C004
Dépôt légal : décembre 2014